JN026326

イノベーションの再現性を高める

新規事業開発マネジメント

株式会社Relic 代表取締役CEO | Founder
北嶋貴朗
Takaaki Kitajima

不確実性をコントロールする
戦略・組織・実行

日本経済新聞出版

はじめに

ここ数年、日本ではこれまでにないほど企業における「新規事業」や「イノベーション」の必要性が声高に叫ばれ、それに呼応するように各社の意欲・関心が高まっています。

GAFA（Google＝グーグル／Apple＝アップル／Facebook＝フェイスブック／Amazon.com＝アマゾン・ドット・コム）などの世界を席巻するテックジャイアントを筆頭にした海外の企業の躍進を横目に、時価総額や売上・利益などの企業評価指標だけでなく、GDP（国内総生産）などの国家全体としての指標なども含めさまざまな面で伸び悩んだ平成という時代は、「失われた30年」とも揶揄されてきました。平成が終わり、令和という新しい時代を迎えた今、日本企業は未来に向けた経営の舵取りについて再考しなければならないタイミングを迎えているといえるかもしれません。

現代は、VUCA（Volatility＝変動性・Uncertainty＝不確実性・Complexity＝複雑性・Ambiguity＝曖昧性）時代とも呼ばれ、非常に変化が激しく、早く、先行きが不透明で、未来を予測することが困難な状況にありますが、そんな中においても企業としての成長戦略を描き、実行していかなければなりません。1つの事業や製品・サービス、ビジネスモデルの短命化がますます加速し、これまで会社の屋台骨を支えていた事業の業績が急激に悪化して危機に瀕することも日常茶飯事です。このようにプロダクト・ライフサイクルが急速に早まりつつある中で、企業は新たな事業の開発や創出に取り組み、次の柱を生み出すことができなければ、継続的な成長はもちろんのこと、現状維持すらも厳しい環境に立たされているといえます。特に日本は少子高齢化や人口減少に伴い、国内の既存市場が今後確実に縮小していくトレンドにある中、日本企業の成長戦略の軸として、グローバル化に加えて、新たな産業や市場の創出を担う「イノベーション」が重要な位置づけとして据えられるのは必然でしょう。

奇しくも本書を執筆中に世界中を襲った新型コロナウイルス感染症の拡大（コロナショック）の影響がこの厳しい環境に拍車をかけ、企業は一刻も早い適応と自社の変革を余儀なくされています。今後5〜10年かけて訪れると想定されていた世の中の変化が突如起こり、一気に前倒しされているともいえるのではないでしょうか。

さて、ここで少し筆者の自己紹介をさせていただきたいと思います。筆者はこれまで、約13年強というビジネスパーソンとしてはまだまだ短いキャリアではあるものの、そのうちのほぼすべての期間において「新規事業開発」や「イノベーション創出」を目的とした活動や仕事に従事してきました。

ある時は、経営危機に瀕しているベンチャー企業の経営を立て直すための新規事業開発・新サービスの開発を行う担当者として。ある時は、安定した経営をする上場企業における既存事業のアセット（経営資源）を活用した新規事業開発の担当者として。ある時は、業界でも稀有な新規事業を専門とした経営コンサルティングファームに所属し、さまざまな大企業やベンチャー企業の新規事業開発を客観的に支援する立場として。そしてある時は、DeNA（ディー・エヌ・エー）というITメガベンチャー企業における新規事業開発のリーダーや責任者として。図らずも実に多様な環境や立場から新規事業開発というものに携わらせていただき、さまざまな角度や観点からその本質や真髄に迫ろうと試行錯誤を繰り返してきました。

このような比較的珍しい部類に入る経験とそこから得た知見を活かし、日本企業の新規事業開発やイノベーション創出を支援するために2015年に創業したのが、現在筆者が代表を務める株式会社Relic（レリック）です。Relicでは、日本を代表する大企業から、地域の経済を支える中堅・中小企業、そして新進気鋭のベンチャー・スタートアップ企業まで、さまざまな企業の新規事業開発に伴走しており、これまでに2,500社以上の企業を支援し、1万2,000を超える新規事業のプロジェクトやプラン・アイデアに携わってきました。その中から実際に世に出た商品やサービスも300を超え、その開発や運営まで担うこともあります。また、支援者としての立場だけでなく、Relic自身もITスタートアップ企業としてクラウドサービス・SaaSの事業を複数展開する中で幸いにも順調に成長しており、国内シェアNo.1の事業も複数育ちつつあります。最近では、有望なベンチャー・スタートアップ企業に対して投資を行う投資家として経営の一端を担うこともあれば、パートナー企業との共同事業やJV（ジョイントベンチャー）などを通じて事業を共創する取り組みも手がけています。手前味噌ではありますが、これほど多角的・統合的に新規事業開発に関わり、また上流の概念や理論だけでなく、事業開発の現場における泥臭く地道な実践や実行を積み重ねてきている企業は世界的に見ても稀有な存在なのではないかと自負しています。

ただ、決して筆者や自社の宣伝やアピールのためにこのような自己紹介をさせていただいたわけではありません。むしろ、これだけの新規事業開発への関与や経験があっても、残念ながらいまだに新規事業における成功確率をすべての企業やケースにおいて劇的に高められているとは言い難く、新規事業はその不確実性の高さゆえに多くが失敗や撤退に終わってしまうという前提に立って話させていただきたいという意図によるものです。筆者自身が事業責任者として立ち上げた事業だけでも30以上はありますが、自信を持って成功したといえるのはその中でも片手で数えられる程度であり、この多くの失敗とわずかな成功体験からの学びを少しでも多くの方にお伝えできればと思い筆を執った次第です。

詳細は本編で後述しますが、少なくとも現時点の筆者の結論としては、「どの企業の、どのような状況にも当てはまる新規事業の成功法則や、手法論といったものは存在しない」と考えています。仮に抽象度を高める、もしくは特定の領域や要素に限定することで定義できたとしても、企業の事業開発の現場において実際に具体化し、実行するにあたっての難易度が高かったり、部分的であるがゆえにその影響力や有用性が限定的になってしまったりするからです。本書は、その上で「日本企業が今後の新規事業開発に向けてどう向き合っていくべきか？」を論じることに重きを置き、テーマとしています。

『ストーリーとしての競争戦略』などの著書で有名な一橋大学の楠木建教授は、経営はすべて特殊解、すなわちケース・バイ・ケースであり、抽象化して本質をつかまなければ意味がないと話していますが、これは新規事業開発においても同じことがいえます。当社には日々さまざまな企業から新規事業に関する相談やお困り事が持ち込まれますが、失敗や成功の要因を深くひもといていくとさまざまな要素が複雑に絡み合っており、1つとして同じケースは存在しません。そのため、ある特定の企業における新規事業の成功例や失敗例を分析し、参考にするだけでは不十分であるといえます。

一方で、数多くの企業の新規事業やイノベーションにおける成功例や失敗例を分析して抽象化・理論化することで、特殊解を一般解に近づけるアプローチも存在します。例えば、2020年1月に世界中でその逝去が惜しまれたイノベーション研究の第一人者であるハーバード・ビジネススクールのクレイトン・M・クリステンセン教授の代表作『イノベーションのジレンマ』や、画期的な新規事業開発のプロセスとして注目を浴びるエリック・リース氏の『リーンスタートアップ』等の書籍や論文などで提示される理論・手法論です。筆者など足元にも及ばないほど優秀な世界中の経営学者・研究者や起業家・経営者たちが見出し、抽象化した理論や法則の意義や有用性は疑うべくもなく、筆者自身も日々多大なる示唆や学びをいただいています。当社のクライアントやパートナーとなる企業の経営者や新規事業責任者・担当者の中にも非常に優秀かつ勉強家で、これらの書籍や論文などを熟読した上で十二分にその内容を理解されている方々が数多くいらっしゃいます。

しかし、それを実際に自社で取り組む際には、制約や前提条件の違い、経営層のコミットメントや組織文化・組織構造や人的リソースなどのさまざまな「変数」が存在し、なかなか具体的な実行に落とし込むことができずに苦戦しているのが実情です。また、これらの研究や論文はその内容の深さや専門性の高さゆえに、新規事業やイノベーションの成否に影響を与えるさまざまな要素の中の一部に限定して深掘りされているため、全体を網羅することが難しい側面があります。

筆者はこのような課題認識とこれまでの経験則から、日本企業における新規事業の成功確率を高めるためには、以下のアプローチが必要であると考えています。

・新規事業開発の全体像を網羅的に俯瞰する
・新規事業の成否に影響を与える要素や変数を理解する
・不確実性をコントロールするための抽象化された理論や法則を活用する
・理論や法則を具体化して実践につなげるための論点について思考する
・新規事業を実践する「量」を増やし、試行錯誤しながら「質」を高める
・実践から得た学びや知見を蓄積し、利活用できる仕組みや風土を創る
・仕組みや風土が継続する組織文化や組織構造を構築し、定着させる

上述のようなアプローチを通じて、中長期的な目線で再現性の高い新規事業開発力とイノベーション創出のポテンシャルを備えた企業へと変革していくことでしか、これからの時代で生き残る経営を実現するのは極めて困難であり、そのために企業はどうあるべきか、どうするべきかを考察し、提案することが本書の目的です。

これも詳細は後述しますが、近年のイノベーション・ブームの旗手として注目を浴びるスタートアップの起業と、安定した収益を上げる既存事業が存在する企業における新規事業開発は、似て非なるものです。米スタンフォード大学のチャールズ・A・オライリー教授が提唱し、世界中で注目

を集める「両利きの経営」でも論じられているように、企業は既存事業を中心とした一定分野の知を継続して深めることで収益を生み出す「知の深化」と、イノベーション創出のために新規事業や新しいビジネスモデル・商品・サービスを生み出す「知の探索」を高いレベルで両立させることが求められます。本書における「新規事業」は、前者のスタートアップではなく、後者の「安定した収益を上げる既存事業が存在する企業における新規事業」に主眼を置いています。

本書が、新規事業開発に悩みを抱える経営者や新規事業責任者・担当者の方々に少しでも役立つものになれば、筆者としてこの上ない喜びです。また、日本でさまざまな新規事業やイノベーションを生み出し、日本が世界に先駆けてさまざまな社会課題や顧客課題を解決できる国へと変革するための一助となることを願ってやみません。

Contents

第2章

新規事業開発は、なぜうまくいかないのか

第3章

いかにしてビジョンを描き、新規事業開発の方針や戦略を策定するか

装幀、本文デザイン、ＤＴＰ　中川英祐

第1章

なぜ今、新規事業や
イノベーションが必要なのか?

世界から見る今の「日本のイノベーション力」

米コーネル大学や有力ビジネススクールの仏INSEAD、WIPO（世界知的所有権機構）などが2007年から実施している「グローバル・イノベーション・インデックス」という調査があります。世界の国・地域がどの程度イノベーションを起こす能力を持ち、実際に成功させているかを指標により割り出し、ランキング化したものです。

2020年のランキングで日本は16位でした。前年（2019年）が15位だったので、順位は1つダウンした格好です。1位は2019年に続きスイス。2位にスウェーデン、3位に米国が入りました。アジアでは8位にシンガポール、10位に韓国が、11位に香港、14位に中国が並びました。

こうした指標（インデックス）を用いたランキングは世界中で多く存在し、指標もレポートによって異なるため、必ずしも各国の実勢を純粋に反映しているとは言い切れません。それでも、第三者機関が客観的に分析・調査した内容を定点観測していくことは、イノベーション力を推し量る上で1つの重要なアプローチになり得ます。

この「グローバル・イノベーション・インデックス」のレポートを読むと、韓国は「人的資本および研究で世界的なリーダーとなり、研究開発関連のほとんどの指標、そして大学生・専門学校への入学者数、研究者数に関して上位を維持」と記載されています。また、中国は「7年連続でイノベーションの質に関して中所得経済圏の間で第1位となり、国別の意匠および特許、ハイテク、クリエーティブ商品の輸出において上位入りを達成」と注目されるなど、日本以外のアジア各国のイノベーション力について一定の言及がなされています。しかし日本については、その発表内容を伝えるプレスリリースにも記述は見当たらず、ランキング順位が落ちただけでなく、残念ながら注目度や存在感が薄れていることも明らかになりました。

別の角度からも見てみましょう。各国のイノベーション力を評価する際に、「輩出したユニコーン企業の数」もよく比較対象になります。これは、

「ユニコーン」と呼ばれる、企業価値の評価額が10億ドル(約1,100億円)以上ある未上場ベンチャー・スタートアップがどれだけ存在しているかが、その国のイノベーション力を測る1つの指標になり得る、と考えられているからです。

例えば、世界の時価総額ランキングのトップに君臨する「GAFA」と呼ばれるGoogle、Apple、Facebook、Amazon.comといった企業を生んだ米国には、ユニコーン企業が数百社あるといわれています。ベンチャーから世界の情報や物流・商流を握るプラットフォーマーへと成長する企業が続々と登場するため、米国ではスタートアップに対してもリスクマネーが大量に供給され、グローバルでもトップクラスの大学のMBA(経営学修士)や技術者・研究者など優秀な人材を集めることが可能です。そして新しい事業的価値、社会的価値を生み出していくエコシステム(生態系)が拡大を続けているのです。

また、人口約13億人という独自の巨大な経済圏を持つ中国でも、ユニコーンが数十社規模で存在するといわれます。日本がバブル崩壊後の苦境にあえいでいる時、中国は経済の改革・開放を進めて「世界の工場」と呼ばれる一大生産拠点へと発展しました。その結果得た経済力によって新しい価値を生む投資行動が誘発され、国内の巨大な人口が消費力を高めたことから、「BAT」と呼ばれるバイドゥ(百度)、アリババグループ(阿里巴巴)、テンセント(騰訊控股)といったテックジャイアントが生まれました。

米中は、ベンチャー・スタートアップへの投資額や技術の研究開発費が世界的に見ても非常に大きく、桁違いです。こうした圧倒的な投資パワーに後押しされた「イノベーション力」こそが、多くのユニコーン企業を輩出する源泉となっているのです。

一方、日本のユニコーン企業数は、現在スタートアップ界において最も企業価値が高いとされているAI(人工知能)ベンチャーのプリファード・ネットワークス(Preferred Networks)や、近年上場を果たしたフリマアプリのメルカリ、クラウド会計ソフトのフリー(freee)、直近ではスマートニュースやMobility Technologies、SmartHRなども含めて、10社前後で推移しているのが現状です。ベンチャーへの投資額や研究開発費などの観点でも米中には遠く及ばず、ここでも日本は他国の後塵を拝していることになります。

かつてイノベーション大国と呼ばれた日本

イノベーションという観点で、かつて日本は「アジアをリードしていた」「世界でも先端を走っていた」と主張する人が少なくありません。確かに、戦後から高度経済成長期にかけての時代、ソニーやホンダ（本田技研工業）に代表されるハードウェアを中心とした「モノづくり」で高いポテンシャルを発揮し、世界を席巻する魅力ある商品を世に送り出してきました。世界から「イノベーション大国」「ジャパン・アズ・ナンバーワン」などと評され、次々に革新的な新規事業やイノベーションを創出し、注目されていたのは間違いありません。

しかし、バブルが崩壊し、その後はITやソフトウェアが主役の世界になりました。「GAFA」にマイクロソフトを加えた「GAFAM」や、中国の「BAT」にファーウェイ（華為技術）を加えた「BATH」などの巨大IT企業を中心に経済が回り、数々のイノベーションが生み出される時代が訪れて、世界が日本企業や経済に注目する機会は少なくなってきました。それでは、イノベーション力という観点で影を潜めていた日本企業は、イノベーションに挑む勇気をなくしてしまったのでしょうか。もしくは、イノベーションを生み出す力を失ってしまったのでしょうか。特に、多くの優秀な人材を抱え、さまざまな資産や技術を保有しながら、革新的な新規事業やイノベーションを生み出すことに苦心してきた日本の大企業は、このまま衰退の道をたどるのでしょうか。

筆者は、決してそうではないと考えています。日本企業が現在直面している課題や壁を乗り越え、その力を再興できる可能性は十分にあると信じています。個別の戦略や方法論だけではなく、企業のビジョンや組織の文化・風土、そしてマネジメントのあり方も含めた統合的な観点から、そのためにどうするべきかを考察するのが本書の狙いです。

縮小する国内市場 ――「課題先進国」がつかむべきチャンス

2020年に新型コロナウイルス感染症の拡大がもたらした「コロナショック」以前から、日本経済は少子高齢化に伴う労働人口の減少などにより、中長期で見ると内需が縮小していく局面に入っています。もはや国内の既存市場における事業展開のみで成長戦略を描くことは困難です。となれば、日本企業が生き抜くためには、グローバル展開により外需を取り込むか、新規事業に挑戦して新たな市場や顧客を創出するかの、2つの道しかありません。特にコロナショックの影響で海外から観光客が流入するインバウンド需要、また越境を伴う商取引自体が停滞したり、リアル・対面での価値提供や顧客対応を前提としていた巨大産業や伝統産業が破滅的な打撃を受ける中で、大きな変革やDX(デジタル・トランスフォーメーション)を迫られています。革新をもたらす新規事業やイノベーション創出の重要性がますます高まっているといえるでしょう。

厳しい状況にある日本ですが、見方を変えれば少子高齢化をはじめとするさまざまな「社会課題」に他の先進国より先に直面する「課題先進国」でもあります。そして筆者は、「さまざまな社会的な課題に、先んじて直面する国である」という点にこそ、チャンスがあるのではないかと考えています。

近年、国連のSDGs(持続可能な開発目標)やESG(環境・社会・企業統治)投資・脱炭素などのキーワードに注目が集まり、社会課題の解決につながる事業や、社会的なインパクトの大きい事業に対しての関心は世界各国で急速に高まっています。日本で現在起きている社会問題や、コロナショックによって新たに生まれたり、想定よりも早く顕在化した大きな課題は、今後世界中の国が直面する、もしくはすでに直面している課題でもあります。課題先進国である日本が真っ先に、世界に先んじてその解決に挑戦する。先進国が直面する課題を事業で解決していく。そうした「社会や顧客の大きな課題を解決することでインパクトを生み出す事業」には大きな可能性があるのではないでしょうか。

その事業やビジネスモデルはグローバルでも展開できるかもしれません。大きな需要を生み、新たな市場や雇用を創出できるかもしれません。日本発のイノベーションが世界に大きな影響を与える一歩を踏み出せるかもしれません。

ベンチャー・スタートアップだけでは日本再興が難しい理由

日本発のイノベーションをどのように生み出し、国家経済の再興を図るかは、非常に重要な論点です。日本の産業界も、そして政府も、今後も注力して考えていかなければならないテーマでしょう。

近年では政府の後押しもあり、日本でもスタートアップ・ブームが広がり、米中と比較するとまだまだその規模は小さいという課題はあるものの、以前よりもしっかりとしたスタートアップ・エコシステムが形成されつつあります。コロナショックにより先行きが不透明ながら、ここ数年はベンチャー投資額や新規上場企業数、M&A（企業の合併・買収）の成立件数なども右肩上がりで上昇しており、スタートアップやベンチャー企業こそが日本のイノベーションの旗手という見方もされています。また、最新のデータによると、コロナ禍でもベンチャー企業やスタートアップへの投資熱は冷めることはなく、アフターコロナ時代、ニューノーマル時代を見据えた有望な領域や分野では、むしろ以前にも増して投資が加速している面もあります。

しかし、イノベーション大国・日本の再興を、ベンチャー企業やスタートアップの台頭と成長だけに頼って成し遂げることはできるのでしょうか。答えは「ノー」だと筆者は考えています。スタートアップの数や規模感、影響力の観点から、現状においては、いまだ日本経済に与える影響は限定的だからです。

日本の産業構造を形づくっている企業群は、主に売上高や従業員数などを基に「大手」や「中小」に大別されます。スタートアップは中小企業の中でも特殊な存在であり、革新的なビジネスモデルや技術をもって、これまでにない市場や価値を創出し、短期間で急成長を目指すのが基本的なスタンスです。どちらが良い・悪いという話ではありませんが、安定的な成長を目指している多くの中小企業の経営とは根本から異なる存在です。

日本全国で2016年に540万社以上の法人が存在し、そのうちの99%がいわゆる一般的な中堅・中小企業であり、スタートアップは全体の1%にも満たない約1万6,000社のみとされます。つまり、そもそもスタートアップが占める割合が極めて少なく、またそこに供給されるリスクマネーも成長はしているものの現状は最大でも5,000億円程度とされており、10兆円を優に超えるといわれる米中と比較するとまだ非常に少ないのが実情です。

さらに、その数少ないスタートアップの中でも株式を公開し、上場に至る企業は少なく、また仮に上場したとしても新興市場である東証マザーズでは、1社あたりの時価総額は平均で約66億円程度です。時価総額だけでなく、GDPに対する規模や影響力の観点からも占める割合は大きくありません。

もちろん、1社で大きな影響力を持つメガベンチャーやユニコーンといわれるような企業を育てる努力も重要ですが、日本経済全体やイノベーション力へのインパクトという観点から、スタートアップを支援するだけでは不十分なのです。

あらゆる経営資源が大企業に偏る日本

一方で、日本の大企業はどうでしょうか。企業数は約1万1,000社と中小企業よりも少ないものの、そこで働く従業員は日本全体の労働人口の約30%を占め、産業構造の上流から中流、下流にあたる多くの中小企業の経営を支えています。売上規模や時価総額などの面から見ても1社あたりの影響力が非常に大きいのです。

それ以上に特筆すべきは、大企業が保有する経営資源の豊富さです。特に日本は先進国の中では異例なほどに、人材（ヒト）、有形の資産（モノや土地、設備）、資本・資金（カネ）、無形の資産（情報やデータ、技術）等、あらゆる経営資源が大企業や上場企業のような一部の優良企業に集中しており、大企業の内部留保は約460兆円にものぼります。

特に、国土が狭く天然資源に乏しい日本にとって、最も重要な経営資源は人材です。日本ではいまだに大企業信仰が強く、優秀な人材の多くが大企業を志望し、就職するといっても過言ではありません。最近でこそスタートアップに新卒で入社するケースや、大企業からスタートアップに転職するケース、学生時代に自分で起業するケースなども少しずつ増えつつあります。しかし、米国などと比べると、大企業の人気は根強く、大企業に入社する優秀層が圧倒的に多いのが現状です。人材関連の企業などがまとめる「就職人気企業ランキング」に並ぶ企業は、平成が始まった30年余り前と比べても大きくは変わっていないと指摘されています。

一方で海外、特に米国では、大学やMBAを含めた大学院を卒業・修了した最優秀層は、自ら起業するかスタートアップに就職することが多く、その次に優秀な層が、GoogleやFacebookなどの「大企業」を目指す、といわれています。解雇規制が厳しくないため人材の流動性も高く、総じて優秀な人材がスタートアップに流入する可能性が上がり、自ずと経営資源が分散されていきます。

日本はまだまだ終身雇用を前提とした人材の流動性が低い社会であり、優秀な人材がスタートアップに流入する可能性が低く、経営資源が大企業や優良企業に集中しやすい構造になっています。

前述の「社会や顧客の大きな課題を解決する事業」に取り組み、日本経済に大きなインパクトを生み出すためには、豊富な経営資源が必要になります。日本において、その経営資源の大半を保有しているのは大企業や優良企業なのです。

新規事業やイノベーションを生み続けなければ、どんな企業も生き残れない

どんなに豊富に経営資源を有していたとしても、それらを活用して企業としての成長や付加価値の向上を続けなければ、いずれ衰退や消滅に至る運命を迎えます。特に、この変化が激しく先が見通せない「VUCA」と称される現代の環境に加え、コロナショックにより一層厳しさを増した今後の企業経営では、事業や製品のプロダクト・ライフサイクルはますます速

図表 なぜ新規事業に取り組み続けることが重要か?

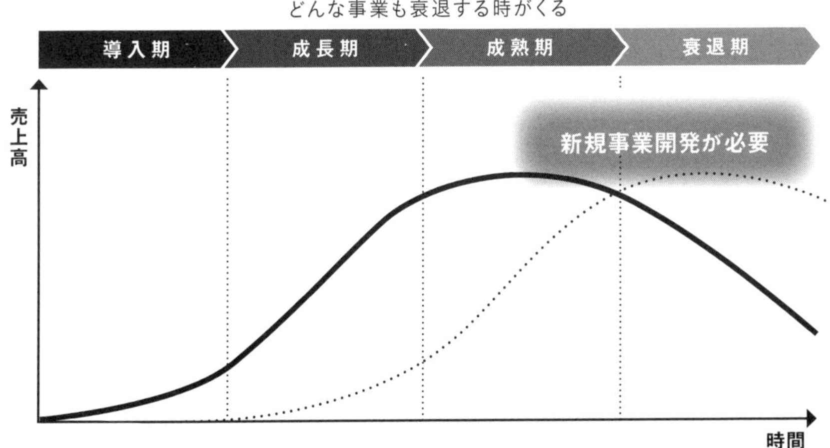

出典：筆者作成

く短くなり、事業やビジネスモデルの寿命は短命化の一途をたどります。いかに優れた事業や製品でも、いずれ必ず衰退していくのです。デジタルやオンラインにおける非対面・非接触を前提とする事業への変化や進化のために、DXやデジタルイノベーションを急速に進めなければ生き残れないという危機感を持つ企業も多いでしょう。

どんなに大きな企業でも、どんなに優れた企業でも、現在の本業や中核事業といわれる既存事業の改善だけでは、中長期的には生き残れない時代に突入しています。既存事業の深化と平行して、新たな新規事業やイノベーションの芽を探索し、挑戦し続けなければ、継続的に成長することはできません。

すべての企業に求められる「イノベーション大国」再興への原動力

筆者はこれまで、さまざまな立場や角度から「社会的な意義や影響度の大きい新規事業やイノベーションの創出には何が必要なのか」「企業が長期的な成長や繁栄を続け、社会に価値を還元するため、新規事業開発はどうあるべきか」を13年以上にわたり研究し、実際に試行錯誤しながら追求し続けてきました。自社のみならず、数多くのクライアントやパートナー企業の新規事業開発を支援する中で、企業の経営資源を正しく活用することで「社会や顧客の大きな課題を解決する事業」を実現した時の確かな価値や手応え、そして世の中に与える影響の大きさを実感しました。

そうした経験を通じて、筆者は「日本企業が豊富な経営資源を活かした新規事業開発で大きな課題を解決することこそ、イノベーション大国再興へのカギである」と確信するようになりました。

ゼロからの起業やスタートアップにおける事業開発と、大企業や一定の経営資源を保有する企業における新規事業開発は、似て非なるものです。前者の企業やスタートアップに対する理論や方法論の解説は他書に譲るとして、本書では主に後者の日本の大企業を中心とした「一定の経営資源を保有する企業」に焦点を当てて、次章から順を追って解説していきます。

これまでに携わってきた数多くの企業における新規事業開発の経験から、うまくいかない理由や頻出する課題、それらを乗り越えるためのアプローチをなるべく体系的に網羅できるような構成を本書では心がけました。個別の理論やノウハウ、テクニックに終始するのではなく、それらを企業や組織全体として再現性のある形で継続的に実行していくための風土醸成やマネジメント、仕組みづくりに重きを置いています。

本書の内容を理解し、実践していただくことで、企業内起業や新規事業開発を通じたイノベーション創出に少しでもお役に立てれば幸いです。

第 2 章

新規事業開発は、なぜうまくいかないのか

なぜ企業の新規事業開発は失敗するのか——。

国内外を問わず、あらゆる企業が新しい事業を起こそうと模索しています。誕生したばかりのスタートアップから時価総額が世界有数の規模を誇る企業まで、あらゆる企業が「さらなる収益を生み出す新しいビジネス」を血眼になって生み出そうとしています。これは資本主義社会において、成長を続け、株主に還元することを前提とした株式会社という組織・事業体の宿命ともいえるでしょう。

しかし、実際のところは、「新規事業開発がうまくいっている」と断言できる企業は極めて少数派です。大半の企業は苦戦し、試行錯誤しながら歩みを進めている途中です。特に企業内新規事業開発は、注目を集めて勢いに乗るスタートアップ・ベンチャー企業と比較して揶揄されることも多く、またさまざまな制約や条件から、表に出ている成功例は非常に稀であるといわざるを得ません。本章では、多くの企業が壁にぶつかっている要因を考察し、企業内新規事業開発における本質的な課題をひもといていきます。

既存事業とは大きく異なる
新規事業の不確実性

企業内において大半の人が関わる既存事業の運営と新規事業開発は、そもそも前提が大きく異なります。事業の検討方法、検討した内容を実行する組織や体制など、あらゆる面で異なります（右ページ図表）。

過去の経験や実績が豊富な既存事業とは異なり、新規事業開発においては、そもそも対象となる市場や顧客が不明確であるケースが大半です。それらについてのデータや情報が皆無に等しい状態で検討を進めなければならず、事業プランや計画の精度が低くなり、必然的に事業の不確実性が高くなります。この不確実性の高さゆえに新規事業開発の成功確率は非常に低く、取り組む領域や事業内容、成功の定義にもよりますが、センミツ（千

図表 新規事業と既存事業の主な相違点

	観点	新規事業		既存事業
事業／構想	対象とする顧客／市場	不明確	⟺	明確
事業／構想	データや情報	なし	⟺	あり
事業／構想	不確実性	高い	⟺	低い
事業／構想	時間軸	中長期	⟺	短期
組織／実行	予算／リソース	小さい	⟺	大きい
組織／実行	適切なプロセス	仮説の構築と検証／実行／修正を重視	⟺	分析／調査／計画を重視
組織／実行	チーム内の役割分担	状況に応じて柔軟に変化 一人で多数の役割や機能を担う	⟺	分業により効率化 一人が1つの役割や機能を担う
組織／実行	優秀な人材の定義	自走して新しい仕事ややり方を考えて創り出せる	⟺	既存のやり方や指示通りにそつなく精度高く実行できる

出典：筆者作成

に三つ＝0.3%）と表現されることすらあります。つまり、その大半は失敗に終わるのです。

このような前提の中でゼロから事業を立ち上げ、進捗やKPI（重要業績評価指標）を観測しながら試行錯誤を繰り返さなければならず、新規事業は業績に貢献するまでには数多くの挑戦と長い時間を必要とします。もちろん、新規事業の当事者は、なるべく早く、そして確実に成功させるべく、一発必中の覚悟で取り組むことが重要です。しかし、企業や組織をマネジメントする側としては、短期の時間軸や単一の挑戦のみで成果や評価を見極めるのは現実的ではありません。中長期の目線で多くの事業を生み出し、結果としてわずかな成功が生き残る「多産多死」を前提に事業を捉える必要があります。そして、多くの挑戦と失敗を繰り返しながら成功確率を高めていくことが重要です。

スタートアップという企業体の特殊性

近年では新規事業や新しい市場、ビジネスモデルの創り手としてスタートアップ・ベンチャー企業に対する期待が高まっています。最先端の取り組みとして、こうしたスタートアップ企業の事業や事例をベンチマークにするケースも多いのではないでしょうか。

確かに、従来の延長線上にないイノベーションによって新しい市場を創り出したり、ニッチ（すき間）市場を開拓したりしながら、思いがけない新たな価値を提供しているスタートアップは魅力的な存在であり、日本としても育成に注力すべき存在です。

スタートアップは多くの場合、1社で1つの事業やプロダクトにすべてのリソースを集中させ、短期間で急激な成長＝非連続な成長を目指します。つまり、新規事業開発のみを手掛けている非常に特殊な企業体なのです。これは、資本力のないスタートアップが投資家からエクイティ（株式）による資金調達を行い、時価総額の最大化と、IPO（新規株式公開）・M&AなどのEXIT（株式公開や事業売却など）によるキャピタルゲインで報いることを前提にした経営が行われているからです。規模が小さいがゆえにフットワークが軽く、スピード感をもって事業開発ができる反面、1社単独では資金面でも人材面でもリソースが乏しく、早期に収益化するか、成長と資金調達を繰り返し行わない限り企業として存続できません。時には株式上場に至り成長軌道に乗ったり、大企業に売却してグループ会社・子会社として事業を展開したりするスタートアップも存在しますが、多くの場合が長く存続できずに消えていきます。

日本国内に約1万6,000社あるといわれるスタートアップ企業と、そこに資金を供給するVC（ベンチャーキャピタル）やCVC（コーポレート・ベンチャーキャピタル）、インキュベーターやアクセラレーター、メディアやコミュニティなどによって形成されるエコシステムが日本でも育ちつつあり、1社ではなく、このエコシステム全体で新規事業の「多産多死」を実現しています。膨大な数の挑戦の中から、メルカリなどのメガベンチャーが輩出されますが、そのような成功例はごくわずか。華々しい成功や大型の資金調達などがメディアを賑わすこともありますが、その裏には数千以上の撤退や失敗があるのが事実です。先人たちの挑戦や失敗、その経験から得た学びがコミュニティやメディアを介して共有され、後に続くスタートアップの糧となり、次なる挑戦の礎となっているのです。

スタートアップはイノベーティブなアイデアの実用化・商業化を日々試みていますが、収益化するまでには中長期の時間軸で投資を続けなければならず、それでも事業として成立しないケースがほとんどです。成功するためには、常にリスクマネーの供給を受けながら、多くの壁を乗り越えていかなければなりません。

認識すべき企業内新規事業とスタートアップの違い

筆者はこれまで、企業内新規事業の責任者や起業家、投資家などといったさまざまな立場から30以上の事業を手掛けてきた中で、多くの失敗や撤退も経験してきました。成功の定義や解釈にもよりますが、その中で黒字化したものが10件程度、自信を持って成功したといえるものは3件程度です。

また、Relicとして2,500社超の企業と1万2,000の新規事業開発を支援させていただく中でも同様に、成功の数をはるかに上回る撤退や失敗に立ち会ってきました。この経験から、企業内新規事業とスタートアップでは、目指す成功の定義や多産多死の実現アプローチなどにおいて前提や考え方が大きく異なり、その差異を踏まえて取り組む必要があることを痛感したのです。そして、既存事業や本業が別にある企業における新規事業開発とスタートアップの違い（次ページ図表参照）を理解しないまま、安易にスタートアップの真似事のような企業内新規事業開発を実行してしまっていることも、うまくいかない要因の1つです。

図表 企業内新規事業とスタートアップの主な相違点

	企業内新規事業		スタートアップ
資本力	中〜大	⟺	小〜中
保有するアセット	中〜大	⟺	なし〜小
資金の出し手	企業内の特定の決裁者	⟺	不特定多数の投資家など
既存事業の有無	あり	⟺	なし
求められる規模感	中〜大	⟺	小〜大
規模感の判断軸	売上／利益	⟺	時価総額
狙う市場	中〜大が求められる	⟺	無〜小も含めて多岐に渡る
意思決定や実行の速さ	遅い	⟺	速い
方向転換や軌道修正	困難	⟺	容易
多産多死の実行主体	自社 + パートナー	⟺	エコシステム全体

出典：筆者作成

企業内新規事業の場合、本業である既存事業があるため、最初からある程度の資本力をはじめとする経営資源を保有しているメリットもあります。しかし、それゆえに常に既存事業と比較され、制約やプレッシャーに晒（さら）され続けます。株主・投資家から高い目標を要求されることが当然ありますが、10社に投資して1社をEXITすれば成立するといわれるビジネスモデルであるVCの投資を含めた多様な資金獲得のチャンスがあるスタートアップと、1つの事業をなるべく確実に成功させようと限られた特定の決裁者の判断で予算を捻出する企業内の新規事業投資が異なるのは明白であり、不確実性に対する許容度にも大きな違いが出ます。

また企業内新規事業の場合、赤字に厳しく、求められる売上高や利益の規模も既存事業と同等以上となるケースも少なくありません。特に大企業では100億円以上の事業規模のみを成功として捉えることもあります。すると、自ずと狙うべき市場の規模感やポテンシャルは一定以上の水準に制限されますが、それが顕在化している市場は競合他社の参入が多く、厳しい戦いを強いられます。加えて、規模の大きい組織ほど新規事業開発において重要な意思決定や実行・推進のスピードは遅くなりがちです。さらに、国内だけでも年間4,000億円〜5,000億円、米中では各々10兆円を優に超えるともいわれるベンチャー投資が流入し、膨大な数の挑戦をスピーディーに繰り返すスタートアップ・エコシステムとは異なり、企業内新規事業においては、自社のみの1社、もしくは協業や提携、出資などを通じたオープンイノベーションに取り組むパートナー企業群のみで新規事業の成功を生むために必要な「多産多死」の状態を実現しなければなりません。このように企業内新規事業は、まずはスタートアップとのさまざまな違いを理解するところから始めなければならないのです。その上で企業内新規事業を進める中で、どのように多産多死を実現していくか、どのように新規事業開発への挑戦を増やし、質を高めていくか、そしてそれをどのように継続して再現性を高めていくか、ということが重要になります。

それには「経営トップの強いコミットメントによる中長期な投資」を通じて、企業内新規事業がぶち当たる特有の課題や壁を乗り越えていくことに尽力する必要があるのです。

企業の新規事業開発がうまくいかない3つの理由

スタートアップとは異なる、大企業や一定の経営資源を保有する企業における企業内新規事業開発がうまくいかない理由として、どのような壁が立ちはだかるのでしょうか。そこには企業内新規事業のあり方を機能させられない数多くの構造的な課題が存在します。

その構造的課題は、筆者のこれまでの経験から大きく次の3つに分類できます。

①　ビジョンや新規事業開発に関する方針・戦略がない

② 良質な多産多死を実現するための組織になっていない
③ 自社の性質や事業の不確実性に応じた事業開発プロセスを実行していない

現状で企業内新規事業がうまくいっていない企業の多くが、これらの課題のいくつか、またはすべてに当てはまっているのではないかと思います。そのため有望な新規事業がなかなか出てこない、または出てきてもその芽を潰してしまっている可能性があります。そこで、なぜこのような課題が生まれるのかを考察していきましょう。

①ビジョンや新規事業開発に関する方針・戦略がない

筆者はさまざまな企業で新規事業開発のプロジェクトに携わり、新規事業創出プログラムや社内ベンチャー制度の企画・策定や運用、オープンイノベーションへの取り組みなども含めて多面的に支援してきました。そこで多くの企業が中長期的なビジョンや、それを実現するために「なぜ新規事業に取り組む必要があるのか？」「自社にとって必要な新規事業の定義とは何か？」「新規事業開発にどのように取り組んでいくべきか？」――という全社的な方針や戦略を定めていないことに驚きました。そして、それこそが新規事業開発の進捗を阻む大きな課題の1つであると気づきました。

例えば、全社的な方針や戦略が定義されていなければ、自社に必要な新規事業の領域や要件を検討するための「判断軸」がなく、良い事業構想を練ることができません。また、そもそも新規事業開発やイノベーション創出のためにいくら投資すべきなのかわからないなど、原資が確保できていないために「投資の可否を決められない」「経営判断として適切な投資の意思決定やリソース配分ができない」という場合もあります。各部署や部門でバラバラに新規事業開発に取り組み、自社の新規事業の定義や狙いとは異なるプロジェクトにリソースを浪費し、優先度の高い新規事業への投資の機会や原資を失ってしまう可能性もあります。

この課題に対する処方箋として、第3章では全社的なビジョンや新規事業開発の方針や戦略を策定することで解決するアプローチについて言及していきます。

②良質な多産多死を実現するための組織になっていない

仮に全社的なビジョンや新規事業開発の方針や戦略が策定されていたとしても、それを高いレベルで実行し続け、良質な多産多死を実現するための組織や人材がなければすべては絵に描いた餅で終わります。この組織づくりや人材づくりという観点でも、企業が抱えている課題は深刻です。

新規事業と既存事業では、組織に関する考え方も180度異なります。しかし、多くの企業は既存事業に最適化された人事や評価の制度、仕組みの中で新規事業に取り組み、活動を評価してしまうため、そうした弊害が起こります。

新規事業に求められる優秀な人材の定義は、既存事業とはまったく異なるため、評価方法それ自体を変えるべきです。既存事業においては「失敗しないことが出世の近道」となりがちですが、不確実で失敗に終わる可能性が高い新規事業に、そのような減点方式は適していません。リスクを取って挑戦する人材が報われないなら、そもそも新規事業に挑戦しようという意志や気概を持った人材が出てきません。仮にリスクを取って挑戦して成功したとしても、スタートアップと比較すると成功した際の見返りや報酬が少なく、リスクとリターンのバランスが取れていないともいえます。裏を返せば、良質な多産多死を実現するためには、失敗に対して寛容で、挑戦が歓迎される組織文化や風土の醸成が欠かせないのです。

また、多くの企業では新規事業開発の経験者が圧倒的に不足しています。企業で働く大半の従業員が既存事業の中で分業された業務やオペレーションの改善を担い、プロダクト・ライフサイクルでいうところの成長期や成熟期に属する事業運営の経験しかありません。経営トップやマネジメント層の方ですら、新規事業開発や導入期の事業経験を持っていないケースもあります。つまり、新規事業開発の経験を持たない経営陣やマネジメント層の下で、同じく経験を持たないメンバーが新規事業に取り組み、既存事業の考え方や論理に従って、意思決定やマネジメントが行われるという構造的な歪みが発生しているのです。

経営トップやマネジメント層に新規事業開発の経験がなければ、現場の社員からボトムアップで事業案が上がってきても、精度の高い判断ができません。あらゆる面で新規事業開発やイノベーション創出が求められるようになった昨今の環境では、新規事業開発の経験者不足の状態で経営の舵取りをするのは困難です。

新規事業開発のような不確実性の高い挑戦やその過程で直面する修羅場をくぐり抜けてきた経験を持つ人材が経営トップやマネジメント層に存在すれば、会社組織全体を変革する近道になることもあるでしょう。人事・評価制度を抜本的に見直したり、会社の文化や風土を変革するには長い期間を要します。変革を完遂させるには、経営トップを中心としたマネジメント層の強い覚悟とコミットメントも欠かせません。

最近の研究によると、創業社長やオーナー経営者が長期政権で率いている企業の業績が良く、新規事業開発においても成功確率が高いとされるデータや説もあります。それは中長期の目線で経営トップが強いリーダーシップとコミットメントを発揮することが比較的実現されやすい構造だからであると筆者は考えています。

しかし、創業社長でもなく、オーナー経営者でもない、雇われている立場の経営者も多く、そういったケースでは、ご本人の意志にかかわらず任期も短期政権で終わってしまうこともあるでしょう。このような企業では、経営トップになっても「大きな問題を起こすことなく任期を終えよう」とするインセンティブが働いてしまい、なかなかリスクがある投資や大胆な改革に踏み切ることが難しいのです。特に上場企業においては、株主や投資家に対して合理的・論理的な説明責任を問われ続け、また短期的な業績や成果も出しつつ自社の株価や時価総額を気にしながら経営せざるを得ないため、その傾向はますます強くなります。

日本企業全体を底上げしていくためには、そのような企業でも再現性が高く、良質な多産多死を伴う新規事業開発を執行できる仕組みや制度を体系化し、作り上げる必要があるのです。

この課題に対する処方箋として、第4章では全社的なビジョンや新規事業開発の方針や戦略に基づき、再現性高く新規事業を実行できる組織や人材を作るためのアプローチについて解説していきます。

③自社の性質や事業の不確実性に応じた事業開発プロセスを実行していない

最後に、実際にプロジェクトチームを立ち上げ、新規事業開発を進めるプロセスにおける実行やマネジメント上の課題について解説します。新規事業開発のメソッドや方法論に万能なものはありません。あくまでもその企業の特性や取り組む目的や事業内容、置かれている環境などにより、ケース・バイ・ケースです。しかし、現状の新規事業開発の経験者が少ない企業における企業内新規事業では、特定の方法論を「よりどころ」にしてしまう傾向があります。本来ならば事業を成功させるという目的のための手段にすぎない方法論が目的化した結果、「リーンスタートアップ」や「オープンイノベーション」といった「手段」が先行する事態が頻発しています。

スタートアップの事業開発を安易に模倣してしまう問題も本質は同様です。経営資源やリソースを持たないところから始めざるを得ないスタートアップならば、初期はただひたすら顧客起点でアイデアを考え、顧客の声を聞きながら改善や学習を繰り返していくプロセスが適合する理由や背景はわかります。しかし、すでに隆々たる利益を生んでいる既存事業の資産や人的リソース、ブランド力や顧客基盤などの一定の経営資源を保有する企業が、それらをまったく活かさずに新規事業を立ち上げるのは、果たして適切なのでしょうか。

最初から自社の経営資源ありきでしか事業を考えない、顧客が完全に置いてきぼりになってしまっている、というのも問題ですが、最終的に自社の経営資源が強みとして活きない新規事業開発が成功する可能性は極めて低いのもまた事実です。

新規事業開発の現場では、「ユーザーはこんなことで困っています」「こんなニーズがあります」という顧客の声を起点に事業アイデアの検討に時間を費やし、大量の資金的・人的リソースを投下した後で「結局、それを解決する事業やサービスを自社では実現できない」「実現はできるが何の競争優位性もない」「先行優位性を築こうにもスピードではスタートアップに勝てない」などの問題が判明するという悲劇も珍しくありません。既存の経営資源の活かしどころがないからといって、どの企業でも簡単に参入できる事業では必ず激しい競争に巻き込まれますし、それではスタートアップと差別化を図ることはできません。最終的には自社の経営資源が事業の独自性や競争優位性の源泉になり得る事業こそが、企業内新規事業において目指すべき本質ではないかと思います。

また、自社の性質や取り組む事業の領域や内容によっても、最適な解は異なります。不確実性が高い領域の新規事業に挑む場合と、既存事業に比較的近くて不確実性も低い領域での新規事業に挑む場合では、考え方やプロセスが変わってしかるべきです。自社の組織や人材の能力を考えた際に、他社で成果の出たプロセスがそのまま最適な形として当てはまらないことも多いでしょう。

企業内新規事業にもスタートアップにも、それぞれに合ったプロセスがあり、企業内新規事業でこそケース・バイ・ケースで臨機応変にプロセスを調整しながら実行し、体系化していくことが不可欠です。

この課題に対する処方箋として、第5章と6章では不確実性をコントロールする新規事業開発プロセスとマネジメントを実行するためのアプローチについて詳細に解説します。

先進的企業が取り組み始めた新規事業開発への改革と行動変容

先述の理由から、日本では現在も多くの企業で新規事業開発に苦戦を強いられているのは確かです。一方で、改革を通じた行動変容を試み、新規事業開発やイノベーション創出に対する野心と気概が感じられる企業も見受けられます。

実例として、ある大企業では、会社の経営資源を活用して新しい事業を始める際に、プロジェクトチームをカーブアウトして子会社化し、新規事業開発にあたらせるようにしました。子会社で新規事業を開発すること自体はよくあることですが、この企業では新規事業開発を起案した本社社員にもきちんと株式を取得させ、EXITしたらスタートアップ起業家と同様に多額の報酬を得ることが可能な制度を設定しました。

その上、新規事業に失敗しても、元の職場で以前の処遇に戻れることも確約したのです。このように、新規事業に取り組む人材がリスクを取りやすく、積極的に挑戦できる仕組みを整える動きもあります。

また別のある大企業では、社長の直属部門としてイノベーション創出をミッションとする専門部署を設け、新規事業の創造を目指しています。面白いのは、新規事業を考える際の視点や制約として、「将来、既存事業を脅かすような事業」をテーマとしている点です。

「自社が嫌がるアイデアの新規事業化」を検討するため、経営会議で事業プランを説明すると、既存事業を担当する部門からは「本業とバッティングする。マイナスの影響が出るのでは」といった反対意見が頻繁に飛び出します。しかし、それに対しては「では、それを競合他社やスタートアップにやられてもいいのですか？　どうせやられて困る事業なら自社でやるべきではないでしょうか」と切り返すことを徹底しているそうです。

こうした新しい試みによって改革に取り組み始めた企業も、最初からうまくいっていたわけではありません。企業が自社の経営資源を活かしながら、再現性高く新規事業開発を継続するためには、前述の3つの新規開発を阻害する構造要因を変革して解消していくことが重要かつ不可欠になります。

次章からは、これらの課題を解決するアプローチや考え方について具体的に考察していきます。

第3章

いかにしてビジョンを描き、新規事業開発の方針や戦略を策定するか

「7つのSTEP」で新規事業開発の全体ストーリーを描く

前章でも説明したとおり、再現性の高い新規事業開発を継続していける「先進的企業」へと変身していくためには、「経営トップの強いコミットメント」と「中長期の時間軸で健全な多産多死に取り組み続けること」が重要です。そのためにはまず、全社的なビジョンとその実現に向けた新規事業開発の方針や戦略を策定し、それを共有して浸透させることに取り組まなければなりません。

よくあるのが、いきなり個別の事業構想や戦略を練ることから始めてしまうケースです。これは主にスタートアップに適した進め方だといえます。1つの事業やプロダクトに集中して急激な成長を志向するスタートアップは「事業のビジョン≒全社のビジョン」「事業の戦略≒全社の戦略」となるフェーズが存在するため、その事業やプロダクトの成長こそを最優先するべきであり、全社的なビジョンや方針・戦略を改めて策定する必要性は相対的に低くなります。

しかし、安定した収益を上げる既存事業を待つ大手や中堅の企業において、新規事業開発は「ビジョンの実現に向けた全社戦略や成長戦略の中で取り得る選択肢の1つ」にすぎません。企業にとって新規事業開発やイノベーションは、あくまでも手段であって、目的ではないのです。

そこで必要となるのが「インキュベーション戦略」という考え方です。このビジョンに基づく新規事業開発全体の方針や戦略を策定する段階では、具体的にどのようなステップで検討するべきでしょうか。筆者は右ページの図表のように定義しています。

この7つのステップを明確にし、経営層がストーリーとして語り続けることが、新規事業開発全体の方針や戦略を共有し、浸透させていく上で重要です。もしこれが曖昧であるとか、明確に策定されていても経営層のコミットメントや社内への発信が弱い場合は問題です。経営層と実際に新規事業開発に取り組むチームやメンバーとの間に、意志や認識の大きな乖離（かいり）

図表 インキュベーション戦略を策定するSTEP

ビジョンに基づく新規事業開発全体の投資方針や戦略を策定するステップ

1	全社ビジョンを明確にし、企業としてどこへ向かうのかを示す
2	ビジョンの実現に向けて、なぜ今、新規事業に取り組むかの意義を見出す
3	既存事業の干渉を受けない新規事業開発への投資原資を確保する
4	どんなテーマや領域で、どんな事業に取り組むかを定義する
5	いつまでに、どの程度の目標を狙うかという目線を合わせる
6	誰が、どのように新規事業開発を行うかのアプローチを検討する
7	何に対していくら投資するか、適切なポートフォリオを組む

出典：筆者作成

が生まれてしまうからです。

現場が経営層の意図や新規事業に取り組む意義を理解できないまま不確実性の高い困難なプロジェクトを任せられると、当事者意識を持てない状態で、暗中模索を続ける状況に追い込まれます。当然、成果は上がりにくくなり、成功確率も大きく下がってしまいます。また、現場主導で懸命に進捗させている新規事業プロジェクトがあっても、それが全社的な方針や戦略と合致していないため優先度が下がり、プロジェクトの縮小や中止・撤退を余儀なくされることもあります。

結果として現場のモチベーションは大きく低下し、今後の新規事業開発や健全な多産多死の土台となる「挑戦しやすい組織文化の醸成」を大きく阻害する要因にもなり得るのです。この傾向は企業の規模や既存事業の数が大きいほど顕著になるため、大企業になればなるほど「ビジョンとその実現に向けた新規事業開発の方針や戦略」を策定する重要性が増していくことになります。

しかし、全社的な方針や戦略が不明確なままで、個別の新規事業開発に取り組んでしまうケースは思いのほか多く、「何から始めればよいかわからないので、とりあえず新規事業アイデアのコンテストを開催した」「競合他社がやっているから、慌てて自分たちもオープンイノベーションの取り組みを始めた」など、安易に新規事業開発に乗り出す企業も珍しくありません。

もちろん、一度策定した内容に固執しすぎるのも得策ではありません。場合によっては、全体的な方針や戦略から外れていたとしても、例外的に注力・投資する事業があってもよいと思います。完璧なものを作ろうとして時間をかけすぎるよりも、ある程度の柔軟性を持たせて運用しながら改善するという姿勢で臨んだ方が不確実性の高い新規事業においては適切です。ただ、その場合はなぜ方針や戦略を変更したのか、なぜ例外的な判断を下したのかをオープンに共有し、全社で共感や納得感を得ながら改善を重ねていくことが重要です。

インキュベーション戦略を策定するための各ステップで具体的にどのような検討をすべきかをご紹介します。

STEP ①
全社ビジョンを明確にし、企業としてどこへ向かうのかを示す

全社的なビジョンは、中長期の時間軸で企業として目指したい姿、ありたい姿を示すものです。この全社ビジョンの策定において大切なのは、従業員が「共感できるかどうか」。つまり合理性や客観的な妥当性よりも、経営トップの強い意志（Will）やリーダーシップ、哲学が“要”となるのです。

不確実性が高く価値観の多様化が進む現代では、自社とそこで働く従業員にとっての幸せとは何か、自社の存在意義は何か、自社の事業を通して

図表 魅力的なビジョン策定に向けた論点

① **有意義性**：定量的な数値だけでなく、定性的な意義や価値を示しているか

② **貢献性**：より良い未来や社会を創ることや社会課題の解決につながっているか

③ **具体性／独自性**：誰もがイメージしやすく、自社ならではの「らしさ」があるか

④ **実現性**：実現に向けた時間軸やロードマップを設計しているか

⑤ **透明性／公平性**：意思決定はトップダウンでも、プロセスは透明でオープンか

出典：筆者作成

実現すべき社会や未来とはどのようなものか、そのために自社はどのような進化を遂げていくべきなのか、といった正解がない問いに自分たちなりの解を決める必要があるのです。これは従業員だけに向けたものではありません。経営トップは、株主や顧客、パートナー企業などありとあらゆるステークホルダーに対してそれを示す必要があり、それは未来の従業員や新たなステークホルダーを育むためにも不可欠です。

さまざまなテクノロジーの進歩や規制緩和により、あらゆる経営資源の流動性が高まりつつあるこれからの時代では、ヒト・モノ・カネ・情報などのリソースは共感できるビジョンを発信する企業にますます集中していきます。一方、それができない企業からはリソースがどんどん流出していくことになると筆者は確信しています。まさに企業の死活を左右する重要な問題だといえるでしょう。

すでに何らかのビジョンを定めている企業も多いと思いますが、これから先進的企業への変革を志すのであれば、改めて自社のビジョンを見直し、アップデートしていくことをおすすめします。もしまだ明確に策定できていないのならば、新規事業に取り組む前にまずはビジョンの策定を行うべきだと考えます。参考までに、共感を得られ、従業員の奮闘を喚起する良いビジョンを策定する際の論点を挙げます。

①有意義性：定量的な数値だけでなく、定性的な意義や価値を示しているか

「○年後に売上高で○○億円、シェア○％で業界No.1、利益率○％」といった、定量的な数値や財務・会計的な指標でしか定義されていないケースが散見されますが、これだけで共感を生むことはできません。「何のためにその数値を達成するのか？」「その数値を達成することがどんな価値を生み、どんな未来につながっていくのか？」といった定性的な意義や価値を示すことが必要です。

②貢献性：より良い未来や社会を創ることや社会課題の解決につながっているか

ビジョンの策定では、外部環境の変化や社会動向を捉えながら未来を予測し、その未来において自社がどうあるべきかを考える。もしくは、未来が予測できないものだとしても、自社がどのような未来を創るべきかを考えることが不可欠です。その内容が、人類にとってより良い未来や社会を創ることにつながっているか、社会課題の解決につながっているかが共感を生むための重要な観点になります。

③具体性／独自性：誰もがイメージしやすく、自社ならではの「らしさ」があるか

ビジョンの抽象度が高すぎたり、あまりにも突飛で非現実的なため実現性に乏しく、ビジョンが実現した将来の絵姿がイメージできないものになってしまっていることも多々あります。また、具体性に欠けるがゆえにその企業ならではの「らしさ」が反映できていないという問題も併発します。仮に別の企業が同様のビジョンを掲げたとしても違和感がない場合、その企業の個性や特徴が埋没してしまっていると考えられます。

④実現性：実現に向けた時間軸やロードマップを設計しているか

ビジョンの実現に向けて、どのくらいの期間で、どの程度の状態にする

かという観点も欠かせません。いつまでに達成するのかという時間軸や、そこに至るまでのロードマップが設計されていない状態では、そこから逆算して自分たちが今何をするべきかが明確になりません。それでは、仮に共感を得られたとしても、実現に向けた具体的な実行や推進につながらないのです。

⑤透明性／公平性：意思決定はトップダウンでも、プロセスは透明でオープンか

ビジョンの策定に関しては、検討の過程でミドルマネジメントや現場のメンバーの意見を吸い上げることがあっても、最後の意思決定は合議制ではなくトップダウンで行う必要があります。しかし、その結論や意思決定に至るまでの思考や検討のプロセスに透明性を持たせ、なぜそのビジョン策定に至ったかをオープンにすることで、ステークホルダーの納得感を醸成し、より強く共感を促すことにつながります。

参考までに、筆者の印象に残った、日本企業が発信するビジョンで良い例を2つ紹介します。1つ目はソフトバンクグループの「ソフトバンク 新30年ビジョン」です。これは創業30年の節目を迎えた2010年の定時株主総会後に発表されたもので、圧倒的に超長期の時間軸で過去から未来への世の中の変化に対する分析や洞察を経て、情報革命で人々を幸せにするための300年成長を実現する一里塚として、次の30年のビジョンを提示しています。前述の共感を得られる良いビジョンの条件を十二分に満たし、135ページに及ぶ大作のスライドと合わせて発信された内容は、当時大きな話題になりました。同グループのその後の成長は、読者の皆様もご存じのとおりです。

参考：https://group.softbank/philosophy/vision/next30

もう1つは、東証一部上場のバイオベンチャー企業、ユーグレナです。創業から約15年間、ミドリムシを主軸にした事業を複数展開し、順調に

成長してきましたが、パートナー企業の増加と事業領域の成長により複雑性が増し、新たな方針が必要なフェーズとなったため、これまでの理念やビジョンやスローガンを廃止し、「フィロソフィー＝ありたい姿」として一本化して再定義したそうです。サステナビリティ（持続可能性）をキーワードに、創業時の想いを大切にしつつも、未来志向で環境や社会の変化を捉え、人と地球に持続可能な健康を実現するための社会問題解決に向けたストーリーが具体的に描かれており、強い共感を生む内容になっています。

参考：https://ssl4.eir-parts.net/doc/2931/tdnet/1872915/00.pdf

またビジョンを策定する過程においては、未来に向けた社会・経済のトレンドを押さえておくことも重要です。今ならSDGsやESG投資・脱炭素などがそれにあたるでしょう。

SDGsは「持続可能な開発目標」のことで、2001年に策定された

図表 SDGsの17のゴール

出典：外務省HPの基礎資料「SDGsの概要及び達成に向けた日本の取組」

MDGs（ミレニアム開発目標）の後継として2015年9月の国連サミットで採択された、「2030年までに持続可能でよりよい世界を目指すための国際目標」です。17のゴール・169のターゲットから構成され、地球上の「誰一人取り残さない（leave no one behind)」ことを誓っています。開発途上国のみならず、先進国自身も取り組むべき普遍的なものであり、世界各国で注目を集めています。

参考：https://www.mofa.go.jp/mofaj/gaiko/oda/sdgs/index.html

ESG投資は、従来の財務情報だけでなく、環境・社会・企業統治要素も考慮した投資のことで、特に、年金基金など大きな資産を超長期で運用する機関投資家を中心に、企業経営のサステナビリティを評価するという概念が普及し、気候変動などを念頭に置いた長期的なリスクマネジメントや、企業の新たな収益創出の機会を評価するベンチマークとして、SDGsと合わせて注目されています。

STEP ②
ビジョンの実現に向けて、なぜ今、新規事業に取り組むかの意義を見出す

企業としての全社的なビジョンを策定したら、なぜ今このタイミングで新規事業に取り組まなければいけないのかについて、その意義を検討します。まずは第一歩として将来のビジョンと自社の現状を照らし合わせ、その差分（ギャップ）がどこにあるかを明確にします。

ゴールである「ビジョンが達成されている状態における企業の事業内容や事業ポートフォリオ、それぞれの事業規模、対象としている市場や顧客と提供価値」などを想定した上で、現状の既存事業が持続的な改善や漸進的な成長を積み重ねたとしても「埋められないギャップ」があれば、それこそが新規事業に取り組む意義です。

コロナショックが拍車をかけた今のVUCA時代には、既存事業の成長だけで企業が継続的に発展していくことはほぼ不可能であり、ビジョンの達成も極めて困難です。仮に、既存事業の成長だけで達成可能なビジョンを策定していたら、それはビジョンの目線が低すぎる可能性があり、むしろ即座に見直す必要があるかもしれません。魅力的なビジョンが策定されていれば、必ず新規事業に取り組まなければならないギャップが見つかり、意義を見出すことができるはずです。

同時に、「なぜ今、このタイミングで新規事業に取り組むべきか」も合わせて明示することが重要です。新規事業に取り組む際には、中長期で資金も含めた経営資源を継続的に投資していく必要があり、本来は既存事業が順調で企業に余裕がある時に着手することが望ましいからです。既存事業の収益基盤が揺らいで、企業全体として危機的な状態に陥っているタイミングでは、必要な規模の投資や事業開発を進めることは難しいため、もしその決断をする場合はなおのこと丁寧な説明が必要になります。

イノベーション創出支援を専門とするコンサルティングファームである米イノサイト社のマネージング・パートナーであるスコット・D・アンソニー氏は、「必要に迫られる前に革新せよ、イノベーションの緊急性とイノベーション実施の能力は、逆相関の関係にある」と指摘しています。つまり、イノベーションの緊急性が高まれば高まるほど、イノベーションを実施するための能力は低下してしまうということです。

筆者も会社員時代に、経営危機下の社内で新規事業を担当するチームのメンバーだった経験があります。しかし、本業である既存事業の財務状況を好転させないことには、そもそも新規事業開発を行うための原資がほぼ捻出できません。ジリ貧でリソースが枯渇した状態のまま取り組んだものの、そのような状況では目先の売上や利益を作ることが最優先になりがちです。組織やチームの状態も悪く、中長期の目線で継続的に投資を行うことなどできるはずがありません。

結局は、既存事業に毛が生えたような延長線上の新ビジネスや、既存事業と非常に近しい周辺領域で小さく戦わざるを得ませんでした。最終的にこの企業は立ち直ることができず、経営破綻して民事再生になりました。不適切なタイミングで無理に新規事業への投資を行うことは、企業全体の経営状態をさらに悪化させ、存続すら危ぶまれる事態を招きかねません。時には新規事業への投資はしばらく凍結し、既存事業の立て直しや成長に全力を注ぐ決断も必要です。

だからこそ、なぜ今、このタイミングで新規事業に取り組むべきかという意義を見出すことが重要なのです。

STEP ③ 既存事業の干渉を受けない新規事業への投資原資を確保する

今取り組む意義を明確にしたら、自社における既存事業と新規事業のそれぞれにどのようなバランスで投資するかを検討します。その上で、既存事業の業績や状況に左右されずに中長期で新規事業に投資していくために、新規事業への投資のための原資は既存事業向けのものと明確に切り分け、影響を受けない形で確保する必要があります。

ここで大切なことは、自社の保有する経営資源と置かれている環境を十分に考慮することと、新規事業に対して取り組むと決めたならば、中長期での投資を続けられるだけの原資や人的リソースを確保することです。

STEP ④ どんなテーマや領域で、どんな事業に取り組むかを定義する

次はいよいよ具体的に新規事業開発に向けた検討を進めていきます。まず着手すべきは、自社が取り組む新規事業のテーマや領域を定義し、検討

する際の決め方や考え方を整理することです。よく「何でもよいので自由にアイデアを発想してほしい」「既存の枠組みや制約にとらわれずに挑戦してほしい」というような号令がかかることが多いのですが、残念ながらこのような取り組みから優れた新規事業が生まれた事例はほとんどありません。人間というのは、制約や条件が何もないと逆にアイデアが出にくくなり、仮にアイデアが出てもそこから良いものに絞り込んだり、優先順位をつけたりすることが難しくなってしまうものです。例えば、社内からアイデアや事業プランを公募して新規事業創出プログラムを運営する企業なら、その応募要件に具体的なテーマや事業領域、活用する資産や技術などの一定の制約や条件をつけるだけで、例年よりも応募されるアイデアの質や量が向上することが多いのがその証左です。

・外部環境の変化を捉え、自社の経営資源を正しく把握する

では、具体的に自社が取り組む新規事業のテーマや領域を定義する際には、どのような論点に着目して進めればよいのでしょうか。まず、マクロの外部環境や産業・業界の環境分析と、自社の保有する経営資源＝アセットの棚卸しなどは不可欠です。不確実性の高い時代には未来予測の精度や価値自体が下がりつつありますが、それでも新規事業を成功に導くための方針や戦略を策定するためには必須事項と認識してください。

・自社が取り組む新規事業のテーマや領域を検討する

分析は期限を決めて、その中で可能な限りの分析をつくした上で、自社が取り組む新規事業のテーマや領域を検討していきます。その際には、右ページの図表のようなマトリクスを作成して検討するのが有効です。

まず、市場／顧客のA軸に関しては、大きく3つの段階に分かれます。さらに以下のように②は2つに分類されます。

A-①　既存の市場／顧客の需要に対応（既存）
A-②　一部が新規の市場／顧客の需要に対応（限定的な新規）

図表　新規事業開発における投資領域を検討する際のマトリクス

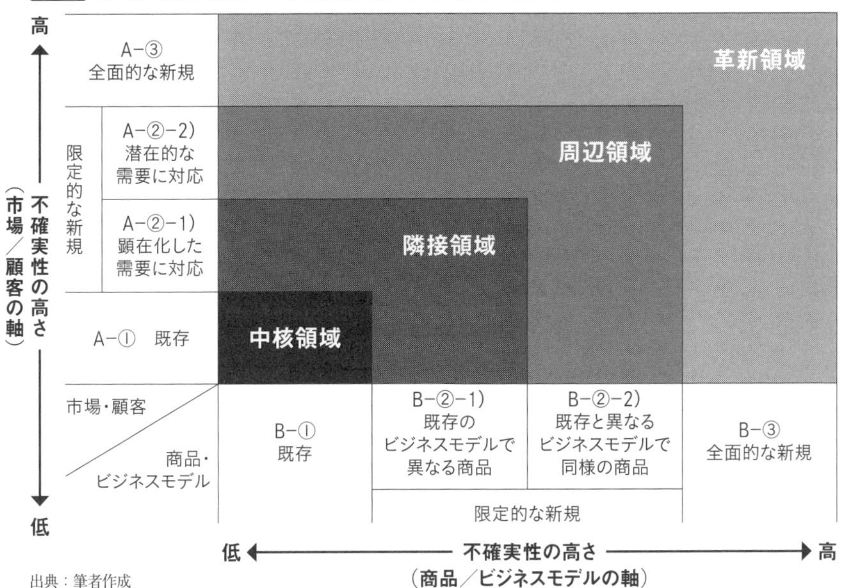

出典：筆者作成

1）顧客は異なるが、既存と同様の顕在化した需要に対応

2）顧客は同様だが、既存と異なる潜在的な需要に対応

A-③　双方が新規の市場／顧客の需要に対応（全面的な新規）

図表の下から上にいくほど（既存の中核領域から離れるほど）不確実性が高くなり、見込みが立てづらくなります。

・A-①既存の市場／顧客の需要に対応

既存事業が対応している市場／顧客を変えずに、事業を展開するケースです。軽微な需要の変化や改善要望への対応もここに含まれます。

・A-②-1）顧客は異なるが、既存と同様の顕在化した需要に対応

既存事業と同様／類似の需要を抱えていることが顕在化（需要が表面化して明確に判明）している別の顧客を対象とすることを指します。例えば、これまで大企業向けに提供していた商材が、実は中小企業にも同様の課題やニーズがあることが判明し、対象を拡大するケースなどが該当します。

・A-②-2）顧客は同様だが、既存と異なる潜在的な需要に対応

既存事業と同様の顧客を対象として、まだ顕在化していない潜在的な需要に対応することを指します。顧客自身もまだ認識できていない、もしくは言語化できていないため表面的には判明していない需要を対象とするケースであるため、正確に把握することが難しくなります。

・A-③双方が新規の市場／顧客の需要に対応

これは、市場／顧客も対応する需要も既存事業とは異なることを指します。これまで法人向け（BtoB）の事業を主戦場にしていた企業が、一般消費者向け（BtoC）の顕在化していない需要に対応しようとするケースなどが該当します。土地勘もなく、需要の把握も困難であるため、非常に不確実性が高くなります。

一方、商品・ビジネスモデルのB軸でも同様に大きく3つの段階に分かれ、さらに以下のように②は2つに分類されます。

B-①　既存の商品／ビジネスモデルを展開（既存）
B-②　一部が新規の商品／ビジネスモデルを展開（限定的な新規）
1）既存と同様のビジネスモデルで、異なる商品を展開
2）既存と異なるビジネスモデルで、同様の商品を展開
B-③　双方ともに新規のものを展開（全面的な新規）

こちらは、図表の左から右にいくほど、不確実性が高くなります。

・B-①既存の商品／ビジネスモデルを展開

既存事業と同様の商品を、同様の提供方法やマネタイズモデルで供給す

るケースを指します。既存の商品の改良や改廃、軽微な仕様変更やアップデートなどもここに含まれます。

・B-②-1)既存と同様のビジネスモデルで、異なる商品を展開

既存事業とは異なる商品を、既存事業と同様のビジネスモデルで供給することを指します。例えば、これまでパッケージソフトを売り切り販売していたIT企業が、IoTデバイスやロボットなどのハードウェアを新たに商品開発・販売するケースなどが該当します。

・B-②-2)既存と異なるビジネスモデルで、同様の商品を展開

既存事業と同様の商品を、既存事業とは異なるビジネスモデルで供給することを指します。例えば、初回一括払いの売り切りモデルで販売していた商品を分割払いやレンタルで提供したり、これまで有料のみで提供していたサービスをフリーミアムモデル（基本利用料を無料として、一部のオプション利用やヘビーユーザーから課金するモデル）で供給したりするケースなどが該当します。

・B-③双方がともに新規のものを展開

商品自体も、ビジネスモデルも、既存事業とは異なることを指します。これまでハードウェアを売り切るフロー型モデルの事業を展開していたメーカーが、デジタルコンテンツのサブスクリプション（月額課金／使い放題）などのストック型モデルの事業を展開しようとするケースなどが該当します。開発や生産にあたって必要な設備や組織体制、人的リソースやオペレーションなどがすべて既存事業と異なるため、安定供給や品質担保を実現する難度が非常に高くなります。

この「4×4」のマトリクスから生まれる計16パターンのテーマ・領域の中で、自社が取り組むものを検討します。その際に図表にあるとおり、不確実性の高さの段階によって、それぞれのパターンを大きく4つの領域に分けて定義します。

・**中核領域**

1つ目は、2つの軸が「既存×既存」の場合で、企業の現在における「中核領域」という定義になります。不確実性が非常に低く、既存事業の延長線上の改善や成長を狙う領域であり、正確にいうと新規事業には該当しません。

・**隣接領域**

2つ目は、比較的不確実性が低い新規性を取り入れているケースで、中核領域と共通する要素も多く、既存の経営資源が転用できる範囲や可能性が大きい「隣接領域」という定義になります。比較的短期間で成果を上げることが期待でき、新規事業としてはローリスク・ローリターンな取り組みになる傾向があります。

・**周辺領域**

3つ目は、比較的不確実性が高い新規性を取り入れているケースを「周辺領域」と定義します。中核領域と共通する要素や既存の経営資源をそのまま転用できる範囲や可能性も限定的になり、新たな用途開発や経営資源・組織能力の拡張が必要になります。成果が出るまでの時間軸が比較的長く、新規事業としてはミドルリスク・ミドルリターンになる傾向があります。

・**革新領域**

4つ目は、市場／顧客や製品において全面的に新規性が高い「飛び地」に挑むケースです。中核領域と共通する要素や既存の経営資源がそのまま転用できる範囲や可能性も小さくなり、新たな用途開発や経営資源・組織能力の獲得・強化が必須になる「革新領域」という定義です。この領域の事業はその他の領域の事業の競合や脅威となる可能性も多分にはらんでおり、また成果が出るまでの時間軸は中長期で、新規事業としてはハイリスク・ハイリターンな取り組みになります。

この4つの領域の中で、中核領域を除く3つが自社にとっての新規事業になりますが、自社が対象とする領域を明確にすることで、どのようなテーマで、どのような事業を開発するのかが定義され、輪郭がはっきりしてきます。

STEP ⑤ いつまでに、どの程度の目標を狙うかという目線を合わせる

自社が新規事業に取り組む上で、どのようなテーマや領域で、どのような事業を検討するかを定義したら、経営のトップマネジメントと実際に事業を推進するミドルマネジメントおよび現場のメンバーの間で、「それぞ

図表 どのような目線で新規事業開発に臨むか

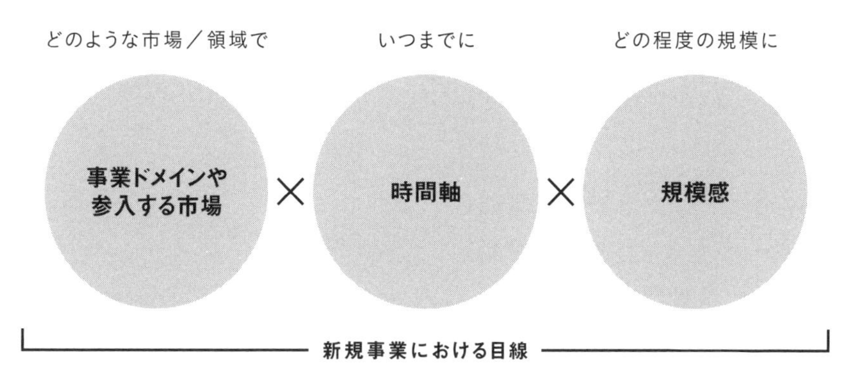

出典：筆者作成

れの領域や事業で、いつまでに、どの程度の規模を狙うのか」について目線を合わせます。前述のとおり、狙うテーマや領域、事業内容によって成果が出るまでの時間軸が異なるため、事前に目線や期待値の認識を合わせておかないと双方にズレが生じる恐れがあるためです。

このズレが生じると、ビジョン達成の算段が立たなくなってしまったり、「思ったより時間がかかっているから」と可能性のある事業の芽が潰されたり、撤退を余儀なくされたりすることが頻発します。また、より注力して投資すべき事業に対して十分な時間と予算が与えられず、大きな機会損失を生むこともあります。

このような事態を避けるためにも、あらかじめ各々の領域や事業における時間軸と規模の目線や期待値を合わせるために、期限や規模については具体的に数値化しておく必要があります。もちろん、予測が難しくそのとおりにならないことも多いのが新規事業ではありますが、一度目安を決めた上で事業を推進しながら最適化していく姿勢を持つことが重要です。

STEP ⑥
誰が、どのように新規事業開発を行うかのアプローチを検討する

このステップでは、事業開発の主体やアプローチを選定します。これは、これまでに述べた「目的／意義」と「目線／定義」の軸によって、主に6つのパターンに分類できます。

① ボトムアップ型新規事業開発

② トップダウン型新規事業開発／カーブアウトなど

③ 新規事業創出プログラム／社内ベンチャー制度／社内ビジネスコンテストなど

④ M&A／マジョリティ投資など

図表　新規事業開発アプローチの6パターン

最適な新規事業開発のアプローチ検討の指針		目線／定義			
		内部の経営資源の転用・拡張で優位性を構築（クローズドイノベーション）		外部の経営資源との結合で優位性を構築（オープンイノベーション）	
		顕在需要／短期対応（現在／顧客起点）	潜在需要／中長期対応（未来／社会起点）	顕在需要／短期対応（現在／顧客起点）	潜在需要／中長期対応（未来／社会起点）
目的／意義	事業成果を中心に追求（プロジェクト型）	① ボトムアップ型 新規事業開発	② トップダウン型 新規事業開発・ カーブアウトなど	④ M&A／ マジョリティ投資 など	⑤ マイノリティ投資・ CVCやJV／提携 など
	事業成果＋組織風土・人材の育成・強化を追求（プログラム型）	③ 新規事業創出プログラム／ 社内ベンチャー制度／ 社内ビジネスコンテストなど		⑥ アクセラレーションプログラム／ ピッチイベント／ ハッカソン・アイデアソンなど	

出典：筆者作成

⑤　マイノリティ投資／CVC（コーポレート・ベンチャー・キャピタル）やJV／提携など

⑥　アクセラレーションプログラム／ピッチイベント／ハッカソン・アイデアソンなど

これをマトリクスで配置すると、上の図表のようになります。

まず縦軸の「目的／意義」とは、「自社ではなぜ新規事業に取り組もうとしているのか」という問いからのアプローチとなります。「目的／意義」の視点は大きく2つに分類できます。

上段の「事業成果を中心に追求」する場合は、例えば「次の収益の柱となる事業を開発したい」「既存事業とのシナジー効果を創出したい」などが該当します。そのためには①ボトムアップ型新規事業開発 ②トップダウン型新規事業開発／カーブアウト ④M＆A／マジョリティ投資など ⑤マイノリティ投資／CVCやJV／提携など――の4つのアプローチ方法があるということになります。また、これらはすべて個別の事業の成果に主眼を置く「プロジェクト型新規事業開発」といえます。

一方、下段の「事業成果に加えて、組織風土や人材の強化も追求」する場合は、「新規事業に適した人材を育てたい」「新しい企業風土や文化を醸成したい」などが該当し、③新規事業創出プログラム／社内ベンチャー制度／社内ビジネスコンテストなど ⑥アクセラレーションプログラムやピッチイベント／ハッカソン・アイデアソンなど――という2つのアプローチが存在します。これらはすべて一定の型があるプログラムという形式を取り、特定の期間内に一律で事業開発プロセスを推進する仕組みを作る「プログラム型新規事業開発」になります。もちろん、自社にない組織能力や人材の獲得を目的とする「アクハイヤー」としてのM&Aなど一部例外も存在しますが、基本的には上記の分類で整理ができます。

次に、横軸の「目線／定義」で新規事業開発を考える場合、「自社が取り組む新規事業のテーマや領域がどのようなものか」が問いになります。「目線／定義」のアプローチも大きく2項目に分かれます。1つは「自社（内部）の経営資源の転用・拡張で優位性を構築するクローズドイノベーション」と、もう1つは「外部の経営資源との結合で優位性を構築するオープンイノベーション」があります。さらにその中でも、「現在の顧客起点で発想し、顕在化した市場・顧客の需要に対して短期的に対応する」のか、「未来の社会起点で発想し、潜在的な市場／顧客の需要に対して中長期で対応する」のかによって分類されています。前者は「フォアキャスト」、後者は「バックキャスト」と言い換えてもよいかもしれません。

- **クローズドイノベーションにおける事業開発アプローチ**

それぞれの項目をひもといていきましょう。「自社（内部）の経営資源の転用・拡張で優位性を構築するクローズドイノベーション」は、取り組もうとしている新規事業における優位性を構築するにあたり、自社の経営資源を活用や転用、強化・拡張することによって実現するアプローチで、自社単独・自前主義で事業開発を行うことを指します。このクローズドイノベーションで「顕在化した市場／顧客の需要に対して短期的に対応する」場合には、日頃から事業の最前線で現在の顧客との接点を持ち、顕在化した需要を捉えやすい事業部の現場メンバーが主導する①ボトムアップ型新規事業開発のアプローチが適しています。そして前述の領域でいうと、「隣接領域」や「周辺領域」が主な対象です。

一方、「未来の社会起点で発想し、潜在的な市場／顧客の需要に対して中長期で対応する」場合には、不確実性が比較的高い「周辺領域」や「革新領域」を主な対象に、中長期の目線で大規模な投資を続けるための裁量や権限が必要になります。つまり必然的に、②トップダウン型新規事業開発やカーブアウトなどのアプローチが良手になります。経営トップや経営層が自ら主導するプロジェクトチームか、もしくは新規事業の創出をミッションとする専門部署や社長直下の新規事業企画室などで経営トップから権限委譲を受けて大きな裁量を持ったミドルマネジメントや子会社・グループ会社の経営陣が主導することで、成果につながりやすくなります。

また、クローズドイノベーションにおいて事業成果のみを追求するのではなく、事業開発と並行して組織や人材の強化・育成につながる仕組みづくりを狙う場合には、③新規事業創出プログラムや社内ベンチャー制度、社内ビジネスコンテストなどのプログラムを運営するアプローチが適しています。経営企画部や人事部、もしくは部署を横断したプロジェクトチームとして立ち上げられた事務局などが主導するのが一般的です。一定の期間内で複数のプロジェクトやチームが一律で新規事業開発のプロセスの理論をインプットし、実践を経験するサイクルを定期的に回すことで、知見やノウハウの蓄積や形式知化という効果も期待できます。ただし、事業成果の追求を加速させる場合には、事業やチームに合わせた個別最適化された活動が重要になりますので、事業の進捗やフェーズに合わせてボトムアップ型やトップダウン型・カーブアウトなどへの移行を検討する必要があります。

・オープンイノベーションというアプローチ

自社内で完結するクローズドイノベーションに対して、オープンイノベーションは、取り組もうとしている新規事業における優位性を構築するために外部の持つ経営資源と自社の経営資源を統合・結合することで実現しようとするアプローチです。新エネルギー・産業技術総合開発機構（NEDO）が2016年7月に刊行した「オープンイノベーション白書」が引用した米国人研究者ヘンリー・チェスブロウ氏によれば、オープンイノベーションの定義は以下のとおりとなります。

「オープンイノベーションとは、組織内部のイノベーションを促進するために、意図的かつ積極的に内部と外部の技術やアイデアなどの資源の流出入を活用し、その結果組織内で創出したイノベーションを組織外に展開する市場機会を増やすことである」

近年では市場の不確実性が増しただけでなく、雇用流動性の高まりやインターネットの普及・発達による優秀な人材やアイデアの外部への流出などの影響から、大企業ですら「自社ですべてをまかなうこと」には限界を感じ始めています。さまざまな経営資源の観点から制約の多い中堅・中小企業も、今後はこれまで以上に外部資源を活用したり他社と協業したりと「オープンイノベーション」を経営に取り込むことが重要になってきます。

・オープンイノベーションに期待できる副産物

オープンイノベーションのメリットは、外部の経営資源を獲得し、自社の経営資源と統合・結合することで優位性が構築でき、事業展開において取り得る可能性を広げてくれることにあります。さらに、3つの副産物も期待できます。

1つは、事業開発を大幅にスピードアップできることです。何らかの技術や製品を開発する際は調査・研究・企画、設計から開発、またその後のマーケティングや営業を通じた収益化といったプロセスが必要で、自社の経営資源だけで完結させようとすると多くの時間を要します。調整やコミュニケーションにかかる時間やコストなどのリスクはあるものの、変化の激しい昨今の経済環境において、スピーディーに事業を立ち上げられることの価値や意義は計り知れません。

2つ目は、コストを大幅に削減できることです。既存の外部資源を活用して技術や事業を開発していくアプローチは、すべて内製するケースと比べて、多くの工程を省略することができます。企業が初めてオープンイノベーションの取り組みを実施する場合は、初期のノウハウや経験を蓄積するフェーズで、一部はコスト負担が先行する部分もありますが、中長期的に見てコスト削減につながる可能性は高いといえます。

3つ目は、オープンイノベーションへの取り組みを通じて、自社内の経営資源や競争力となる技術や特許・知財などを改めて整理し、今後の経営戦略・成長戦略の構築にも有効なフィードバックが得られる点です。オープンイノベーションといっても、自社の経営資源のすべてをオープンにする必要はありません。オープンにすべき部分と、クローズドにすべき部分、それぞれの性質や特徴を把握することが重要です。そのプロセスを経ることで、今後の企業の経営戦略や成長戦略を検討する上でも参考になる非常に有用な気づきや情報を得られることもあります。

・オープンイノベーションにおける事業開発アプローチ

それでは、事業開発アプローチの分類に話題を戻しましょう。オープンイノベーションで「顕在化した市場／顧客の需要に対して短期的に対応する」場合には、④M＆A／マジョリティ投資などのアプローチが有効です。すでにある程度の事業的な成果やその兆しが見えている「隣接領域」や、比較的不確実性の低い「周辺領域」に該当する企業・事業をM&Aやマジョリティ投資によって自社内に事業成果を取り込むケースに加え、自社単独では進出が困難な「革新領域」への足がかりにしたり、競合や脅威の排除のために採択されることもあります。

事業的な成果を得るための時間を大幅に短縮し、買収先の企業の経営資源を丸ごと自社に統合・結合できる可能性がある一方で、投資額が大きく、統合後のマネジメントが高難度になり、想定していた成果が出なかった場合には、減損処理が必要になるリスクなども存在します。そのため、実行にあたっては経営陣が自ら、もしくは投資や買収をミッションとする専門部署や経営企画、または対象企業と親和性やシナジーが見込める事業部のトップなどが主導する形になります。

オープンイノベーションを通じて「未来の社会起点で発想し、潜在的な市場／顧客の需要に対して中長期で対応する」場合には、不確実性が比較的高い「周辺領域」や「革新領域」の企業や事業を主な対象に、⑤マイノリティ投資／CVCやJV／提携などのアプローチが適しています。ある程度の高い見込みがあり、事業推進に対しての権限や強制力を持ちたい企業に対しては、企業本体か系列のCVCを通じてマイノリティ投資を実施します。事業シナジーが見込める「周辺領域」の場合は企業本体から、事業シナジーが見込みにくい「革新領域」であればCVCを通じた投資が適切な可能性が高いといえます。見込みが未知数で、資本参加するほどの期待値が持てない企業や事業に対しては、まずは提携やアライアンス、共同事業や共同開発などを提案するのが有効です。共に今後の事業展開を検討し、関係性を構築しながら、より効果的な経営資源の統合・結合の座組みやスキームを模索していきます。

また、オープンイノベーションで事業成果のみを追求するのではなく、事業開発と並行して組織や人材の強化・育成につながる仕組みづくりを狙うなら、⑥のアクセラレーションプログラムやピッチイベント／ハッカソン・アイデアソンなどのアプローチが有効です。この場合、③の新規事業プログラムなどと同様に一定の期間を設定した上で、ベンチャー・スタートアップなどの外部から提携案や事業案・アイデア、技術などを公募します。

例えば、アクセラレーションプログラムの場合なら社内と社外のメンバーが同じチームとして共同で事業構想を検討したり、メンターとして関わったりしながらオープンイノベーションの可能性について議論したりして、事業プランを作り上げていきます。このプロセスの中で社内のメンバーに対して事業開発の経験を積ませられるだけでなく、外部メンバーの異なる経験やスキル、価値観や考え方に触れることで視野を広げ、知の探索を促進する効果も期待できます。そして最終的には、共同で実証実験や概念検証（PoC＝Proof of Concept）を進めながら、提携や投資などの具体的な事業成果を追求するためのアプローチへと移行していきます。

・オープンイノベーションをブームで終わらせないための処方箋

オープンイノベーションは近年、画期的な新規事業開発アプローチとして、ブームとも呼べるほど日本企業において取り入れられてきました。しかし、取り組む企業が急増した一方で、そこから事業化に至り、成功事例と呼べるような事業が生まれているケースはまだまだ少ないのが実情です。

どこに問題があるのか。筆者はオープンイノベーションの手法論そのものではなく、取り組むスタンスやアプローチが原因だと考えています。

企業にとってオープンイノベーションに取り組む意義の本質は、自社の経営資源だけでは解決できない課題や需要に対応し、より早く、より「大きな事業構想」を実現することにあります。単独で実現できる事業構想であれば、自社のみで取り組むほうがステークホルダーは少なくなるため、さまざまな調整や交渉などのコミュニケーションコストもなくなり、自由度高く推進できます。結果として成功確率も高くなり、成功した際に享受できるリターンも大きくなります。極論をいえば、このような場合においてはオープンイノベーションは不要なのです。

自社だけでは実現できない大きな事業構想を描くのは、現場の担当メンバーだけでは難しく、経営トップやトップから相応の裁量や権限を委譲されたミドルマネジメントの強いコミットメントや関与が不可欠です。しかし、実際にはそのようなケースはごく一部にすぎません。そもそも大きな事業構想を描いていない状態で取り組んでも、意義のあるオープンイノベーションにつなげることは極めて困難です。

また、現在行われている取り組みの多くが、自社の経営資源を活用してどのような事業が実現できそうか、その構想やアイデアを外部の企業に対して求めて公募するアプローチです。筆者はこれを「受動型」のオープンイノベーションの一種に分類しています。受動型の場合、多くの事業構想やアイデアを効率的に集められるというメリットがある一方で、その中で本当に自社が組むべきパートナー、ベストなパートナーとの接点を持てるかどうかはコントロールができません。そのため、事業構想の実現に向けて本当に組むべきパートナーを探すのであれば、その要件に当てはまる候補を洗い出し、自社から個別でアプローチをする「能動型」のオープンイノベーションに取り組む必要があります。また、往々にしてベストなパートナーの候補に挙がる魅力的な経営資源を保有する相手は、他の会社から見ても魅力的で引く手数多であるため、仮に誰もが知っている大企業が声をかけたとしても、相手のほうが交渉力の高い状態にあることも珍しくありません。

ここで勝負を左右するのは、経営トップの能力や人格、コミットメントの強さに加えて、そこから生み出されるビジョンや事業構想の魅力です。

図表 オープンイノベーションに臨むスタンスとアプローチによるパターン

		スタンス	
		プル型(受動型)	プッシュ型(能動型)
アプローチ	トップダウン	追従型	主導型
	ボトムアップ	公募型	応募型

出典：筆者作成

描くビジョンや事業構想が壮大で共感できる内容であるほど、より優秀なパートナーを巻き込み、良い関係性を築くことにつながります。また、交渉や議論の場において高い能力を発揮しスピーディーな意思決定を下せる権限や裁量を持った人物が主体となって進めないとパートナー候補から相

図表 各事業開発アプローチにおける企業の事例(一部抜粋)

	事業開発アプローチ分類	事例
クローズドイノベーション	ボトムアップ型新規事業開発	・リクルート(ホットペッパー、ゼクシィ、スタディサプリなど) ・キングジム(テプラ、ポメラなど) ・スリーエム(ポスト・イット、スコッチメンディングテープ)
	トップダウン型新規事業開発	・富士フイルム(デジカメ、化粧品や医薬品、健康食品などをトップが牽引) ・サイバーエージェント(アメーバ事業を藤田社長が主導、あした会議など) ・カルチュア・コンビニエンス・クラブ(TSUTAYA関連事業、Tポイントなど) ・タニタ(タニタ食堂など) ・日本経済新聞社(日経電子版)
	カーブアウト	・三菱商事(スープストックトーキョー) ・野村ホールディングス(N-village、BOOSTRY、ファンベースカンパニーなど) ・DeNA(SHOWROOM、ミラティブなど) ・パナソニック/BeeEdge(ミツバチプロダクツ/ギフモなど)
	新規事業創出プログラム/社内ベンチャー制度など	・ソニー(「Sony Startup Acceleration Program」) ・NTTドコモ(39works) ・パナソニック(Game Changer Catapult) ・LIFULL(SWITCH) ・リクルートホールディングス(Ring) ・京セラ(新規事業アイデア・スタートアッププログラム)
オープンイノベーション	M&A/マジョリティ投資など	・ソフトバンクグループ(LINEとの統合、ZOZOの買収など) ・KDDI(ソラコムの買収など) ・サントリーホールディングス(米国ビームの買収)
	マイノリティ投資やCVC/JV/提携など	・ソフトバンクグループ(ソフトバンク・ビジョン・ファンド) ・DeNA(モバオクなど) ・伊藤忠商事(伊藤忠テクノロジーベンチャーズ) ・GMOインターネットグループ(GMOベンチャーパートナーズ) ・NTTドコモ・ベンチャーズ ・サイバーエージェント(テレビ朝日とのJV:ABEMAなど)
	アクセラレーションプログラム/ピッチイベントなど	・東急電鉄(東急アクセラレートプログラム) ・森永製菓(森永アクセラレーター) ・LIFULL(OPEN SWITCH) ・富士通(富士通アクセラレーター) ・サザビーリーグ(Lien PROJECT/LIVE LABORATORY) ・カルチュア・コンビニエンス・クラブ(T-VENTURE PROGRAM)

出典:筆者作成

手にされない可能性も多分にあります。そのため、経営トップの強いコミットメントや積極的な関与が必要なのです。

この能動型×トップダウンで実現する「主導型」のオープンイノベーションこそが、最も意義や成果を生みやすいアプローチであると筆者は考えます。これを普及・推進していくことで、オープンイノベーションを一過性のブームに終わらせず、真に重要な新規事業開発アプローチの1つとして、日本企業に良い形で定着できるのではないでしょうか。

参考に、新規事業開発アプローチの①〜⑥の分類について、イメージしやすいように各々のパターンに該当する企業の例を挙げておきます（前ページ図表参照）。

STEP ⑦
何に対していくら投資するか、
適切なポートフォリオを組む

最後に、これまで策定してきた内容を踏まえて、自社の経営資源を何に対していくら投資するかを検討し、適切なポートフォリオを組みます。つまり、さまざまな領域やテーマ、アプローチに対してバランスよく経営資源を分配することで中長期的に再現性の高い新規事業開発の実現を目指すのです。ここで、ビジョンに基づく新規事業開発の方針と戦略が定まり、経営トップから全社や必要なステークホルダーに対して発信していくストーリーが完成します。

どの企業にも当てはまる最適なバランスや方程式は存在しません。自社の保有する経営資源や特徴・性質、産業や業界などの外部環境のさまざまな影響を考慮しながら自社にとって最適なポートフォリオを模索していくことになります。

また、一度決定したバランスで投資した後でも、進捗や成果を見ながら常に見直しや調整をかけていくので、筆者はまず、比較的保守的な組み方

からスタートすることを推奨しています。それでは、具体的な論点についてみていきましょう。

・**新規事業の領域におけるポートフォリオを組み、不確実性に応じて分散する**

新規事業における各領域＝隣接領域・周辺領域・革新領域の各々に対してどのようなバランスで投資するかを検討します。この3つの領域はそれぞれ以下のような性質を持ちます。

隣接領域：ローリスク・ローリターン＝規模は小さいが時間軸は短期
周辺領域：ミドルリスク・ミドルリターン＝規模も時間軸も中程度
革新領域：ハイリスク・ハイリターン＝規模も大きく時間軸は中長期

隣接領域から革新領域に向かうほど、不確実性が高まり時間軸が長くなる一方で、成功した際のリターンや規模が大きくなります。この3つの領域でポートフォリオを組む場合は、隣接領域（50〜60％）、周辺領域（20〜30％）、革新領域（10〜30％）などが1つの目安になりますが、ここでも自社に合った最適なバランスをケース・バイ・ケースで策定します。

ポートフォリオの検討において大切なことは、すべての領域に分散して投資することで、期待できる規模の軸と成果が出るまでの時間軸を網羅することと、保守的なバランスから開始しつつも様子を見ながらリターンの可能性を最大化できる配分の調整を柔軟に実施していくことです。例えば、ハイリスク・ハイリターンな革新領域で成功の兆しが見えたら、一度その他の領域への投資を抑え、その分を革新領域に寄せて一気に成長を加速させるなどの判断も十分に考えられます。

・**事業開発アプローチにおけるポートフォリオを組み、スタイルを確立する**

どの領域に対して、どの程度の投資を行うかのポートフォリオを決めた後は、各領域に対してどの事業開発アプローチを採用し、それぞれにどの

図表 新規事業開発アプローチの6パターン(再掲)

最適な新規事業開発のアプローチ検討の指針		目線/定義			
		内部の経営資源の転用・拡張で優位性を構築(クローズドイノベーション)		外部の経営資源との結合で優位性を構築(オープンイノベーション)	
		顕在需要/短期対応(現在/顧客起点)	潜在需要/中長期対応(未来/社会起点)	顕在需要/短期対応(現在/顧客起点)	潜在需要/中長期対応(未来/社会起点)
目的/意義	事業成果を中心に追求(プロジェクト型)	① ボトムアップ型 新規事業開発	② トップダウン型 新規事業開発・カーブアウトなど	④ M&A/マジョリティ投資 など	⑤ マイノリティ投資・CVCやJV/提携 など
	事業成果+組織風土・人材の育成・強化を追求(プログラム型)	③ 新規事業創出プログラム/社内ベンチャー制度/社内ビジネスコンテストなど		⑥ アクセラレーションプログラム/ピッチイベント/ハッカソン・アイデアソンなど	

出典:筆者作成

程度の経営資源を分配していくかを検討します。

対象とする領域によって適した事業開発アプローチや主導する組織・人材は異なります。次ページの図表は事業開発アプローチと対象とする領域の親和性を整理したものです。例えば、隣接領域や比較的不確実性の低い周辺領域に対して投資を行う場合はボトムアップ型の新規事業開発かM&A/マジョリティ投資などの親和性が高く、革新領域や不確実性の高い周辺領域に投資する場合は、トップダウン型・カーブアウトなどによる新規事業開発か、マイノリティ投資やCVC/JV/提携などの親和性が高いということになります。

このポートフォリオ検討において大切なことは、自社の経営資源や組織能力との親和性を考慮し、自社にふさわしいポートフォリオを組み、新規事業開発のスタイルを確立することです。必ずしもすべてのアプローチを採用する必要はありませんし、親和性が高い特定のアプローチに極端に経

図表　投資領域と事業開発アプローチの親和性

<table>
<tr><th colspan="2"></th><th colspan="3">クローズドイノベーション</th><th colspan="3">オープンイノベーション</th></tr>
<tr><td colspan="2"></td><td colspan="2">事業成果を中心に追求
（プロジェクト型）</td><td>事業成果
＋組織風土
／人材強化
（プログラム型）</td><td colspan="2">事業成果を中心に追求
（プロジェクト型）</td><td>事業成果
＋組織風土
／人材強化
（プログラム型）</td></tr>
<tr><td colspan="2"></td><td>ボトムアップ</td><td>トップダウン／カーブアウト</td><td>新規事業プログラムなど</td><td>M&A／マジョリティ投資</td><td>マイノリティ投資／CVC／JV／提携など</td><td>アクセラレーションプログラムなど</td></tr>
<tr><td colspan="2">革新領域</td><td rowspan="2">親和性低い</td><td rowspan="2">親和性高い</td><td rowspan="4">検討の初期段階＝構想フェーズのみ
↓
実行フェーズはプロジェクト型に移行</td><td rowspan="2">親和性低い</td><td rowspan="2">親和性高い</td><td rowspan="4">検討の初期段階＝構想フェーズのみ
↓
実行フェーズはプロジェクト型に移行</td></tr>
<tr><td rowspan="2">周辺領域</td><td>不確実性が高い</td></tr>
<tr><td>不確実性が低い</td><td rowspan="2">親和性高い</td><td rowspan="2">親和性低い</td><td rowspan="2">親和性高い</td><td rowspan="2">親和性低い</td></tr>
<tr><td colspan="2">隣接領域</td></tr>
</table>

出典：筆者作成

営資源を集中させでもいいでしょう。これを検討するにあたっては、前述のとおり自社の経営資源を的確に棚卸しして把握し、組織能力＝組織の文化や構造、人材の性質や能力、志向性などを考慮して、自社が高いレベルで実行できるアプローチがどれかを見極めることが重要です。

組織や人材に関しては第4章で詳細に考察しますが、米経営史学者のアルフレッド・D・チャンドラー氏が提唱したように、経営においては「組織は戦略に従う」という考え方がこれまで重視されてきました。しかし、戦略を立ててもそれを実行できる組織がないと成果を生むことはできません。また変化が速く不確実性の高い昨今の環境では、戦略を高いレベルでスピーディーに実行しながら得た示唆やフィードバックを活かし、戦略自体もアップデートしていける「組織」の重要度が以前よりも高まっています。

言い換えると、組織は戦略に従う側面もあるが、組織によって取り得る戦略のオプションや採用できるアプローチが規定され、制約を受けてしま

図表 経営資源に適した事業開発アプローチの検討例

		経営状況			
		トップの権限が強い		トップの権限が弱い	
		資金が多い／収益性高い	資金が少ない／収益性低い	資金が多い／収益性高い	資金が少ない／収益性低い
組織能力	現場の事業開発力が低い	M&A／マジョリティ投資	マイノリティ投資／提携など	CVC／JVなど	プログラム型や資本を伴わないオープンイノベーションで経営資源の獲得／拡大に努める
	現場の事業開発力が高い	トップダウン型×革新領域	トップダウン型×周辺領域	ボトムアップ型×周辺領域	ボトムアップ型×隣接領域

出典：筆者作成

うということでもあります。

例えば、中長期で大きな投資が必要な革新領域でのトップダウン型アプローチを実施するには、強い裁量や権限を持つ経営トップと、一定規模の資金力や収益性がなければ難しいでしょう。事業開発能力に長けていない組織では、現場が主導するボトムアップ型のアプローチを筆頭にクローズドイノベーションで成功する確率は低いといえます。その場合は、オープンイノベーションを通じて外部の経営資源を獲得していかなければならないため、資金力を活かしたＭ＆Ａや投資を重視する必要があります。

ここまでにご紹介した新規事業の領域の不確実性や事業開発アプローチの観点におけるポートフォリオは、どの企業においても共通する重要な論点なので、必ず検討・策定しておくことを推奨します。また、その他にも、自社にとって影響度の大きい重要な論点があれば、それを軸にしたポートフォリオを組むことも有効です。例えば、参入しようとしている市場の成長性や業界構造や競争環境という軸で、成長性が高いが競争環境も厳しい市場にするのか、それとも競争がそれほど激しくなく、安定成長をしている市場を狙うのか。自社の経営資源や組織能力を活かすことを重視するか、市場の成長性やポテンシャルを重視するのか。展開しようとしている事業のビジネスモデルが、LINEなどのプラットフォームビジネスで、ネットワーク効果の重要性が高く、「Winner takes all（勝者総取り）」のビジネスなのか、それともBtoBのSaaSプロダクトのように、法人向けのマーケティングや営業力を武器に、ストック収入をしっかり積み上げて安定成長を狙えるビジネスなのか——などによっても性質は大きく異なります。いずれにしても大切なのは、リスクを抑え、リターンを最大化できるバランスを模索することです。このように自社にとって最適な新規事業の投資ポートフォリオを組み上げていくことを意識しながら、全社に発信・共有することで、企業全体の意識を統一し、実行していきます。

本章で解説してきた一連の内容を策定したものを、筆者は「インキュベーション戦略」と呼んでいます。似た概念に、どのようにイノベーションを創発していくかを検討する「イノベーション戦略」というものがあります。

ただ、筆者の個人的な見解として、イノベーションは意図的・戦略的に起こすものではなく、新しい価値や変化を提供したり、社会の課題を解決する事業に挑戦したりし続けた結果として、世の中に普及・浸透することで初めて実現される偶発的なものだと考えています。また、一般に「イノベーター」として知られる方々も、イノベーションを起こそうという考えや動機で取り組んできたのではなく、自分のビジョンや意志に基づき、真摯に事業や研究に取り組んできた結果として、イノベーションと呼ばれる偉業を成し遂げていることが多いのです。そのため、どうにもこの言葉に違和感を覚えてしまうのです。

イノベーションは狙って起こすのではなく、イノベーションを阻害する要因を排除することで、中長期的にイノベーションが起きやすい環境や条件を整えることでしか再現性を高めることはできないというのが筆者の持論です。ゆえに、これまでに策定してきた内容は、いかにして自社のビジョンに基づき戦略的に新規事業創造への投資を実行するか、そして企業としてそれをどう実行していくかという意味で、あえて「インキュベーション戦略」と称しています。

次章では、企業がインキュベーション戦略を策定した後、それを高いレベルで実行し続ける「健全な多産多死」を行える組織を実現するための重要な論点について考察します。

第4章

良質な新規事業への挑戦を量産できる組織を作る

質の高い挑戦を量産し、再現性高く実行するための「組織と人材」とは

前章で取り上げた「インキュベーション戦略」では、会社全体のビジョンを描き、それを実現するための新規事業開発に関する方針や戦略を策定することで、経営資源を適切なテーマや領域、市場に対して中長期の目線で投資するポートフォリオを組み、再現性の高い新規事業開発を実現するための考察をしてきました。

一方で、せっかく策定した戦略も、それが高いレベルで実行されて継続的に成果を創出できる状態が実現できなければ何の意味もありません。特に、不確実性が高い新規事業の現場は、時間をかけて検討した戦略通りに事が進まず、実行しながら素早く方向転換（ピボット）を迫られることも日常茶飯事です。そのため、質の高い挑戦を量産し、それを再現性高く継続して実行するための「組織と人材」こそが、成否を左右するといっても過言ではありません。

米マッキンゼー・アンド・カンパニーは、事業成長を決める真の要因は「戦略」「実行力」「リーダー」「市場」の4つである、と指摘していますが、そのうち7割以上は市場という単一要因によって説明できるとしています。裏を返すと、選定している市場さえ適切であれば、成否を左右するのは残る戦略・実行力・リーダーの3つのファクターだと言い換えることもできます。これは長年、新規事業開発の現場でさまざまな事業を見てきた経験則と照らし合わせても違和感はありません。そしてこの3つの要素は、実は組織と人材の中でも、特に事業を牽引するリーダーに関するものだと考えられます。「戦略」はビジョンを実現するためにリーダーによって策定されるケースが多く、また「実行力」も、リーダーを中心としたチームの人材の能力やマネジメントによって生み出されます。

スタートアップ企業に投資するVCが、企業の何に注目して投資を決定したかを調査すると、参入する市場や事業アイデアと同様に、リーダーであるCEO（最高経営責任者）や経営陣が優秀で熱量が高いチームかどう

かを非常に重視しています。むしろ、市場や事業アイデアの方向転換が当たり前のスタートアップの世界では、主にチームを見て投資判断を下す例も珍しくありません。

では、新規事業開発の再現性を高められる組織を作るためには、何が重要になるのでしょうか。

筆者は、大きく4つのステップがあると考えています。

① 組織・人材に対する考え方や軸、根底にある思想や価値観の醸成
② 新規事業のリーダーに適した人材＝イノベーター人材の発掘・支援
③ イノベーター人材やチームの能力・成果を最大化する育成・支援
④ 健全な多産多死を構造的に実現する組織文化や仕組みの構築・定着

図表　ビジョンやインキュベーション戦略に基づき新規事業を実行する組織の考え方

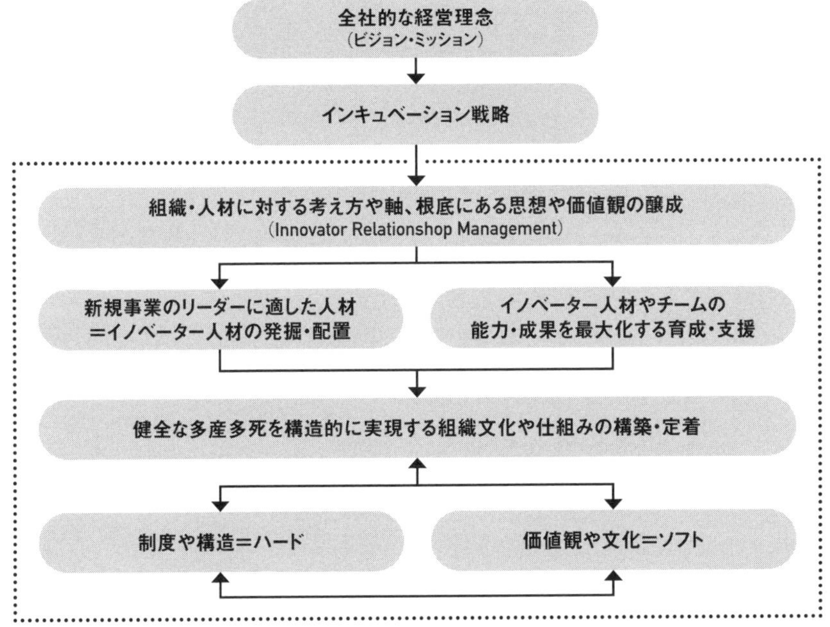

出典：筆者作成

これら4つのステップを実現することで、先進的企業として相応しい組織への変革を進めていくのです。それでは、各ステップについて詳細を見ていきましょう。

①組織・人材に対する考え方や軸、根底にある思想や価値観の醸成
＝希少なイノベーター人材と良好な関係を築きマネジメントする「IRM」

新規事業開発における「リーダー」は、実際に事業構想を練る、アイデアを発想する、事業プランを策定する、チームを作りマネジメントする、策定したプランをスピーディーに実行するという一連のプロジェクトを牽引できる「イノベーター人材」であることが重要です。

まず大切なのは、企業としてイノベーター人材の希少性について正しく認識することです。実際に筆者がさまざまな企業の新規事業を支援している中でも、すぐに事業開発のリーダーを任せられるイノベーター人材の出現割合は非常に低く、これまで独自にリサーチや評価を行ってきたデータと経験則を照らし合わせても、平均して企業の従業員の約3～5%程度の割合でしか存在しません。経験を積むことでリーダーとしての成長を期待できる「イノベーター候補人材」という定義でも約5～7%程度の出現率であり、総合しても10%前後しか存在しませんでした。

また、意外に思われるかもしれませんが、この割合は「新規事業やイノベーションの創出に積極的で実績もある企業」と一般に思われている企業でも、劇的に高いわけではないことがわかっています。

一方で、どのような会社でも必ず一定の割合でイノベーター人材が存在していることも事実です。「自社にはそんなイノベーター人材はいない」と嘆く経営者や新規事業開発責任者の方も多いのですが、本当にイノベーター人材が存在しない企業は中長期的には必ず競争力を失い、市場からの退場を余儀なくされます。一定の売上高や利益を生み出して脈々と事業を継続してきた歴史を持つ企業には、イノベーター人材が必ず存在します。若い人材が比較的多いベンチャー・スタートアップ企業や中堅・中小企業

では、経営者や創業メンバーなどが「イノベーター人材」に該当しているケースも多いでしょう。

IRM（イノベーター・リレーションシップ・マネジメント）とは

イノベーター人材の出現割合の数値の精度そのものはさほど重要ではありません。ただ、イノベーター人材は企業において希少な存在であり、それは大企業や中堅・中小企業、もしくはベンチャー・スタートアップ企業のいずれにも在籍していることだけは認識しておく必要があります。

どの企業でも数%しかいないということは、日本という国家全体で見てもイノベーター人材は不足・枯渇しているといえます。中長期的にイノベーター人材の数を底上げしていくためには、国として教育のあり方などから見直し、20〜30年という長い年月をかけて改革していく必要があるでしょう。

図表　イノベーター人材の希少性

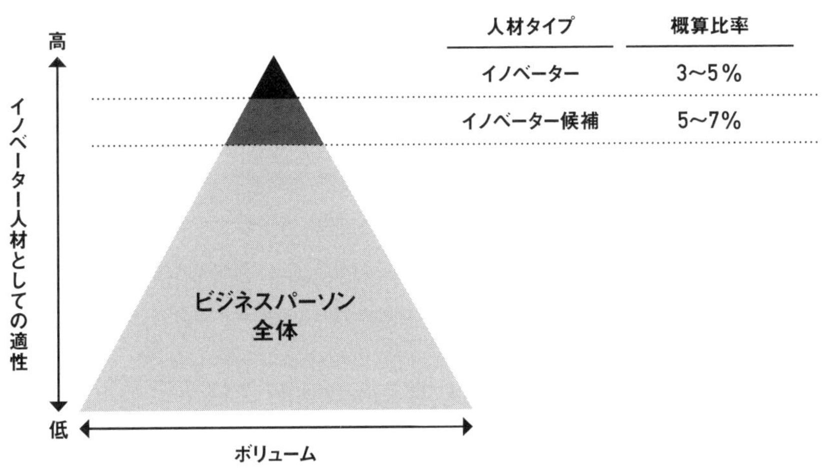

出典：Relicのクライアント・パートナー企業に対する独自調査・アンケート結果の統計を基に筆者作成

そこで、企業が目の前の新規事業開発やイノベーション創出活動で成功する確率を高めるには、現存するイノベーター人材という希少な経営資源を最大限に活かすことが必要不可欠です。そのためには「社内外のイノベーター人材と良好な関係性を構築し、その能力や成果を最大化できるように支援する」という考え方を、組織の根底に根付かせることが重要だと筆者は提唱しています。

これを「Innovator Relationship Management（イノベーター・リレーションシップ・マネジメント）」、略して「IRM」と呼んでいます。

IRMは、マーケティング分野でかねてから普及しているカスタマー・リレーションシップ・マネジメント（Customer Relationship Management＝CRM）を応用し、その対象をイノベーター人材に据えた概念です。CRMでは顧客体験（CX＝Customer Experience）の向上を目指して、顧客に合わせた対応や施策を実施することで良好な関係性を築き、満足度やロイヤルティーを高めることで売上や利益の最大化を目指します。これと同様に、IRMでは企業経営者が希少性の高い「イノベーター人材の体験（IX＝Innovator Experience）」を向上させることで良好な関係性を築き、その能力や成果の最大化を目指します。

筆者が「IRM」という概念を強く推奨する理由は、大きく3つあります。1つ目は、前述のとおりイノベーター人材が極めて希少であること。2つ目は、イノベーター人材はその希少性や性質ゆえに流動性が高く、関係性

IRM = Innovator Relationship Managementとは?

IRM = Innovator Relationship Management
（イノベーター・リレーションシップ・マネジメント）

社内外のイノベーター人材と良好な関係性を構築し、
採用・抜擢・支援することでその能力や成果を最大化する

図表 IRMが不十分だった場合に想定されるリスク

IRMが不十分な場合に高まるリスク(例)	短期(1〜2年)	中長期(3年〜)
クローズドイノベーション(対:社内イノベーター)	社内イノベーター人材を活かしきれず事業的な成果が出ない／イノベーター人材が再挑戦しなくなる など	社内イノベーター人材が社外に機会を求めて流出する など
オープンイノベーション(対:社外イノベーター)	スタートアップやベンチャー等の社外イノベーター人材との協業や共創がうまくいかない／成果が出ない／スピードが遅い など	スタートアップやベンチャー等の社外イノベーター人材との協業／共創の機会を損失する／(競合に機会を奪われる) など

出典:筆者作成

が良好でないと流出してしまうリスクが高いこと。そして3つ目が、従来の企業における組織や制度は少数派であるイノベーター人材を重視して設計されていないため、意識して取り組まなければ関係性が悪化する可能性が高いことです。

IXを向上させるための取り組みは、必ずしも自社内のイノベーター人材に限った話ではありません。例えば「オープンイノベーション」として外部のベンチャー・スタートアップ企業などと協業する際には、その企業のイノベーター人材と良好な関係性を築くことが不可欠です。もし関係性が悪化すれば悪評が広まり、優秀なベンチャー・スタートアップ企業に敬遠されるようになってしまうかもしれません。自社にとってベストなパートナー企業が、競合他社と提携してしまうこともあり得ます。

IRMの考え方が組織に浸透していないと、他社の成功事例を形だけ真似したり、流行りの「場」や「箱」や「制度」などのハードを用意するだけだったりと、うわべだけに終わり長続きしません。そこにIRMという「ソフト」が伴わないと、結果として適切にイノベーター人材を支援する仕組みを実現することは困難になります。

もちろん、企業の収益のメインとなる既存事業で活躍している従業員が大半の中で、イノベーター人材だけを特別扱いしたり優遇したりする必要はありません。しかし、何のケアもせずにイノベーター人材を放置し、既存の組織構造や制度の枠に無理にはめ込んで評価して潰してしまうことだけは避けるべきでしょう。もし避けることができなければ、未来の新規事業やイノベーションの芽は確実に摘まれてしまうことになるからです。

IRMを実践するための組織や人材の必要性

IRMをより適切に実践していくために、新規事業開発に挑むイノベーター人材やプロジェクトチームとは別に、「IRMを実践・運用していくための主体」を用意することを筆者は推奨しています。つまり、新規事業開発チームやイノベーター人材の活動を、客観的な立場で支援できる「IRM

図表 IRMの実践体制と狙い

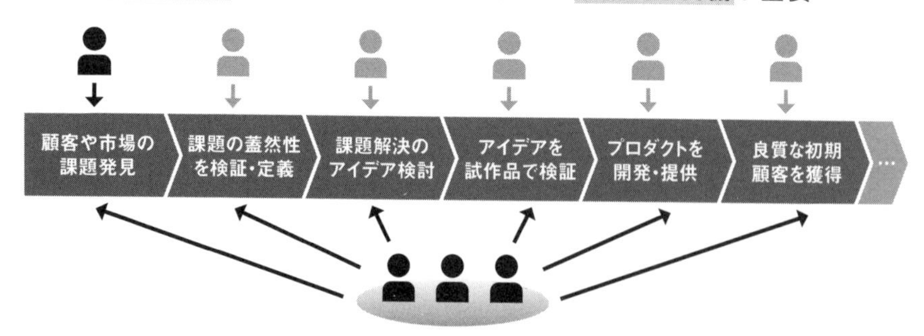

出典：筆者作成

図表 IRMによって実現する好循環

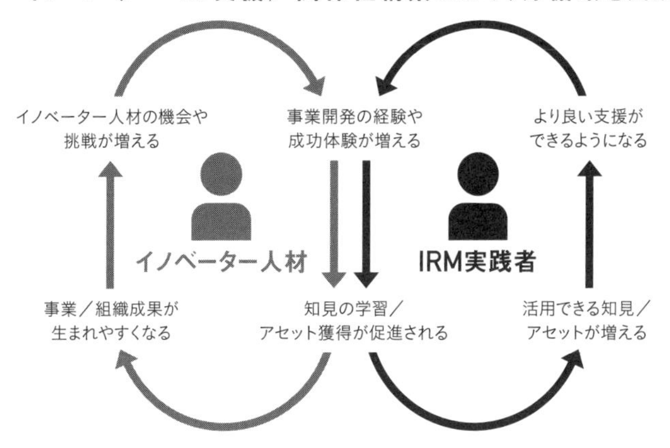

出典：筆者作成

の実践主体」（部署や担当者）を設けることが重要なのです。

無我夢中で新規事業開発に取り組む中で、イノベーター人材やそのチーム自身は進捗や状況を客観視することが難しいものです。チームや現場から一歩引いた別の立場から、冷静な視点を持って有効な支援を提供できること。さらには、IRMの考え方に基づくイノベーター人材を支援する知見やノウハウを集中して蓄積し、高いレベルで体系化・標準化できること。この2つの大きなメリットが、IRMの実践主体には期待できるからです。

IRMを支援する実践主体は、企業内ではどこの部署が適切でしょうか。どんなアプローチで事業開発を進めるかでその主体は異なります。例えば新規事業創出プログラムや社内ベンチャー制度などを実行する場合は、それを運営する事務局や人事部・経営企画部などがIRMの実践主体になるでしょう。一方、トップダウン型の新規事業開発の場合は、管掌する経営トップや担当役員、もしくは直下の新規事業専門組織などになります。

ボトムアップ型の新規事業開発の場合では、支援者となり得るのは主導する事業部内の事業部長や専門チームなどが適任です。外部と連携するオープンイノベーションの場合は、IRMの対象となる社外のイノベーター人材と対面する部署がIRMの実践主体になるのに適しています。大切なのは、イノベーター人材とIRMの実践主体の立場を明確に分けること。これが再現性の高い新規事業開発を実現するためのカギとなります。

IRMの実践主体は、IRMの考え方と体制をベースにしながら、会社全体の組織を変革していくために次の項目を推進していきます。

▼新規事業のリーダーに適した人材＝イノベーター人材の発掘・配置

・イノベーター人材の要件や定義を理解・検討する

・イノベーター人材の志向性・資質を把握し、発掘・配置する

▼イノベーター人材やチームの能力・成果を最大化する育成・活躍

・事業開発プロセスにおいてイノベーター人材が直面する壁や課題を知る

・人材や事業フェーズに合わせた支援を行い、育成・活躍を促進する

▼健全な多産多死を構造的に実現する組織文化や仕組みの構築・定着

・客観性のある明確な撤退基準を定めて対話する

・成果やプロセスから得た知見や示唆を蓄積して体系化・形式知化する

・次の挑戦につながるサイクルを生み、挑戦しやすい組織文化と構造を作る

これらのプロセスを通じて、新規事業開発を再現性高く実行し続けられる先進的企業に相応しいイノベーティブな組織への変革を目指します。それでは、各プロセスについて見ていきましょう。

②新規事業のリーダーに適した人材 ＝イノベーター人材の発掘・配置

・イノベーター人材の要件や定義を理解・検討する

最初に取り組むべきは、自社における新規事業開発のリーダーに相応しいイノベーター人材やイノベーター候補人材に求められる要件や定義を明確にすることです。その上で、該当する人材を発掘して抜擢(ばってき)します。

既存事業で高い評価を勝ち得ているエース人材や管理職などが、必ずしもイノベーター人材というわけではありません。新規事業に取り組む際に、既存事業での評価が高い人材をアサインする企業が多いのですが、それで失敗してしまった例は数え切れないほどあります。イノベーター人材を発掘するには、まずイノベーター人材の要件を理解する必要があります。筆者は、多数の新規事業開発における研究と実践を繰り返す中で得られた知見を組み合わせ、イノベーター人材の要件を以下のように定義しました。

下記図表のとおり、イノベーター人材の要件は、

- **志向性**
- **資質**
- **新規事業開発の経験**
- **新規事業における共通スキル／知識**
- **新規事業における専門スキル／知識**
- **成果創出とそこから得られる示唆や自信**

という、6つの要素から構成されます。

図表　イノベーター人材の要件モデル

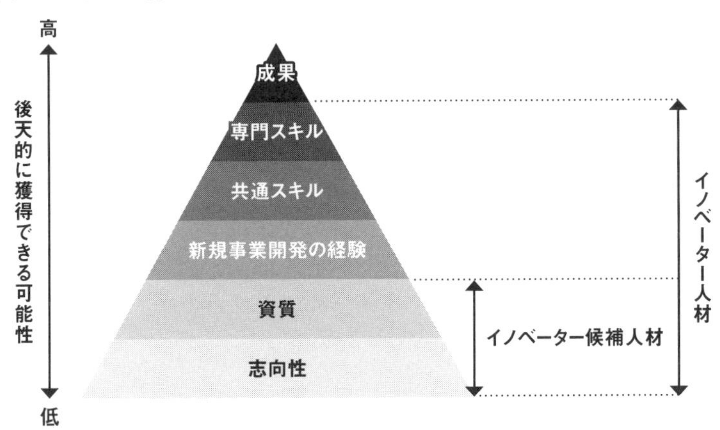

出典：筆者作成

・志向性

志向性は、そもそものベースとなる「新規事業に取り組みたい」「新しい挑戦がしたい」「未解決の課題を解決したい」「市場や顧客の需要に応えたい」「この技術をなんとか世の中の役に立てたい」といった意志や熱量の源泉になるものです。新規事業は物事が想定通りに進まないことが日常茶飯事で、困難が連続します。精神的、能力的、体力的にも強いプレッシャーを受けながら試行錯誤する時期が続くのです。

このため、能力やスキルを考慮する前に、不確実性の高いプロセス自体を楽しむことができるか、ストレッチな状況を乗り越えられるだけの意志や熱量があるかどうかが前提として重要になります。言い換えれば、どんなに経験が豊富で能力が優れていても、新規事業開発の面でネガティブな志向性の人材は、イノベーター人材としては相応しくないといえます。

・資質

新規事業に取り組む際に重要となる「基本的な資質があるかどうか」も考慮すべき点です。志向性が「なぜやりたいのか」「何を重視し、何をやりたいのか」だとすると、資質は「実際にやれるのかどうか」「困難な課題に取り組むことができるのか」と言い換えられます。新規事業開発の成功確率を高められる基礎能力や行動特性を持ち合わせているか、という要件です。

筆者はよく講演や研修などの場で、新規事業開発には3つの「シコウ力」が重要という話をします。1つ目は「志向力」で、何のために事業を創るのかという大義を持ってビジョンに向かい、社会や顧客の課題を発見して、事業やチームの進むべき道を志す力。2つ目は「思考力」で、365日24時間の覚悟で事業について徹底的に考え抜く力、つまり考え続けることでさまざまな分析や計画、構想などをまとめていく力です。そして3つ目が最も重要な「試行力」で、机上の空論で終わることなく、勇気を持ってリスクを取り、試しに製品を作ってみたり、実際に顧客のところに行って使ってもらったり、試行錯誤を繰り返しながら実行し、事業を形にしていく力です。この3つのシコウ力を備えた人材は、イノベーター人材としての資質は十分だと考えています。

・新規事業開発の経験

これは、実際に新規事業開発に取り組んだ経験があるかどうかです。新規事業開発のプロセスは既存事業とは大きく異なり、これまで既存事業で積み上げてきた経験や知識やノウハウ、行動習慣などが活用できないことも多いのです。むしろ、それらを一度忘れて捨て去る（unlearning）必要すらあります。また、その経験の希少性と不確実性の高さゆえに、理論よりも実践が重要な領域でもあります。つまり新規事業には「習うより慣れろ」の考え方がより強く求められるのです。

ちなみに、新規事業開発に初めて取り組む人よりも、2回目以降の人のほうが、新規事業の成功確率が高くなるという研究結果もあります。スタートアップ界隈では、起業経験のある人材は成否にかかわらず重宝され、投資が集まりやすく、成功確率が高いとされている側面もあります。

・新規事業における共通スキル／知識

新規事業開発の経験を通じて、どのような新規事業に取り組む際にも共通して必要になる知識やスキルが身についているかどうか、という要件です。既存事業とは異なる新規事業開発プロセスの全体理解や発想力、事業戦略立案・事業企画スキル、仮説思考力、ビジネスモデル構築スキル、事業プランや事業計画の策定スキル、チームビルディングやプロジェクトマネジメントなどが該当します。

・新規事業における専門スキル／知識

これは、あらゆる新規事業開発において共通して必要になるスキルに加えて、取り組む業界や領域、事業内容やビジネスモデルによって個別で必要になる専門性の高い知識やスキルが身についているか、という要件です。例えば、新規事業を始める業界についての専門知識や深い知見があるか、関連する技術や知的財産、法律や商習慣への理解はあるか、IT・デジタルテクノロジーに関するリテラシーや開発力・技術力を持っているか、などが該当します。

・**成果創出とそこから得られる示唆や自信**

最後に、新規事業開発を通じて何らかの成果創出や事業を成功させたという経験があるかどうか。成功体験から示唆や自信を得たことにより、強いリーダーシップを発揮できるかどうかを指す要件です。新規事業開発の経験がある人材も希少ですが、成功確率が低いその経験を通じて実際に成果を生み出し、成功を実現したことがある人材となると、さらに希少な存在といえます。

新規事業は成果が出なければ撤退を余儀なくされるリスクと常に隣合わせです。一定の基準となる成果やKPIをクリアしなければ、次の段階に進めないことが当たり前です。つまり、新規事業開発に成功し、事業を成長させて安定軌道に乗せるという一連の流れを完遂することでしか得られない経験や学べない示唆が多分にあるということです。その成功体験によって作られた自信から生まれる強いリーダーシップは、不確実性の高い新規事業開発においてチームをまとめ、困難を乗り越えていく原動力にもなります。

過去の成功体験に縛られて、自信ではなく過信や油断、傲慢を生み出しては本末転倒ですが、新規事業における成功体験は事業開発を牽引するリーダーにとっては得がたい要件であるのです。

志向性と資質に関しては、イノベーター人材の要件の中では、後天的に獲得できる可能性が低いもののため、発掘の段階での見極めが重要になりますが、これらを備えた人材がイノベーター候補人材になります。

一方で、志向性と資質以外の新規事業開発の経験や新規事業開発における共通スキルや専門スキルなどは後天的に獲得できる可能性が高いもののため、実践経験を通じての育成が必要です。新規事業開発における成果創出の経験や成功体験があればなおよいですが、成功確率や挑戦する機会の母数を考慮すると必須ではなく、スキルまでを兼ね備えた人材がイノベーター人材と定義しています。

イノベーター人材の志向性・資質を見極め、発掘・配置する

イノベーター人材の要件や定義を明確にした後は、その定義に該当する人材を見極めて発掘し、新規事業に任命して配置する必要があります。

実際の新規事業開発の現場では、このイノベーター人材を発掘し、配置できていないことが課題として浮上しています。

では、どのようにしてイノベーター人材を発掘・配置していけばよいのでしょうか。ポイントは「志向性」で、候補人材の母集団を把握し、そこ

図表　イノベーター人材の発掘・育成・活用（配置）に関する課題①

新規事業開発を阻害する要因として人材の問題が大きく影響を与えている

・PR活用やブランド戦略、サービスの差別化、コスト面よりも、新規事業開発を担う人材不足が大きな課題
・人材不足を解決するための手段として発掘、育成、活用が大きなカギを握る

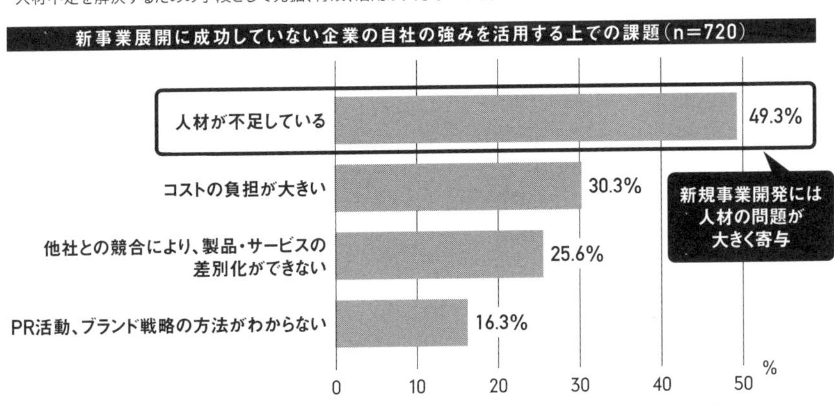

出典：中小企業庁委託「中小企業の成長に向けた事業戦略等に関する調査」（2016年11月、野村総合研究所）を基に筆者作成
注：複数回答のため、合計は必ずしも100%にはならない。

人材不足を解消するための手段として人材の発掘・育成・活用を行っていく必要がある

図表 イノベーター人材の発掘・育成・活用（配置）に関する課題②

新規事業開発に取り組んだ経験やノウハウがある人材が不足
新規事業開発を担える人材の育成に関する課題が顕著

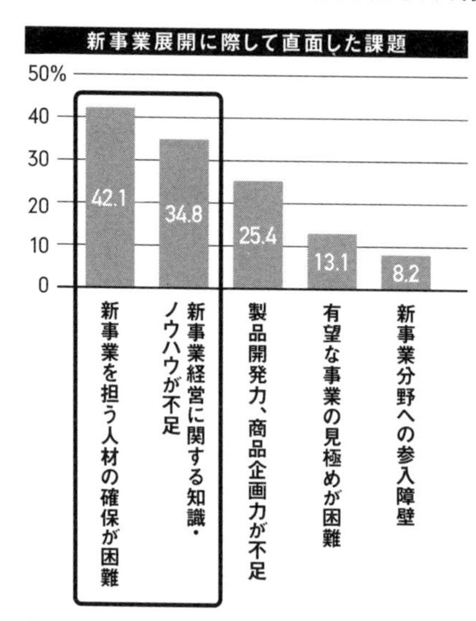

出典：三菱UFJリサーチ＆コンサルティング発行レポートより新事業展開と人材育成に関する調査（n＝710）

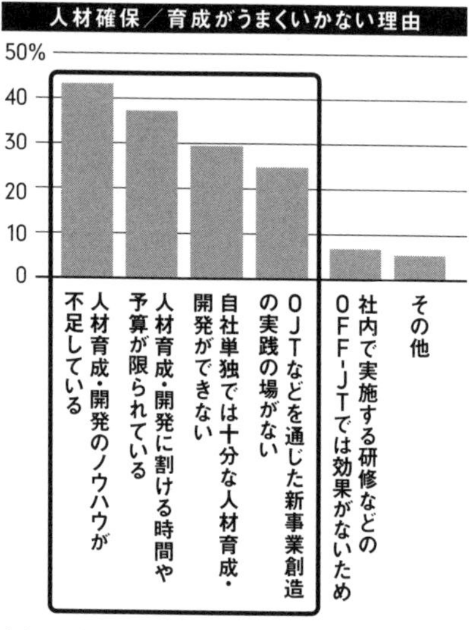

出典：経済産業省「新事業創造と人材の育成・活用に関するアンケート調査」（n＝245）

から「資質」で見抜くことです。

「志向性」については、大きく2つの観点があります。

1つは、本人が新規事業に取り組むということに対して自律的な意思表明や行動をしているかどうかという観点です。例えば、「新規事業創出プログラムやビジネスコンテストにアイデアを応募した経験がある」「業務外の時間を使って興味のある分野や領域について調査や研究を進めている」「趣味で本業とは別の事業やアイデアに取りかかっている」「新規事業関連のイベントや勉強会などに参加し、コンテンツを閲覧・視聴している」などです。こういった兆候を見逃さないために、企業は従業員の潜在的な志向性を表出させ、把握するための場や仕組みを作ることが重要です。

2つ目が、その人材が新規事業に取り組むモチベーション（動機付け）と、その際に何を重視するかという観点です。企業がすべてを把握するこ

図表 イノベーター人材の発掘・育成・活用(配置)に関する課題③

新規規事業に適した評価制度／組織化が行われず人材の最適な活用がなされていない

・90%近くの企業が新規事業開発担当者を通常の評価制度と同じ指標で評価、適切な人材評価を行うことができていない
・新事業に適したチーム編成を行った場合でも70%以上の企業がうまく機能させることができていない

人材活用に関する取り組み(N=330)

「新事業創出を牽引する人材」に対して、
通常の人事評価制度と異なる制度を導入している

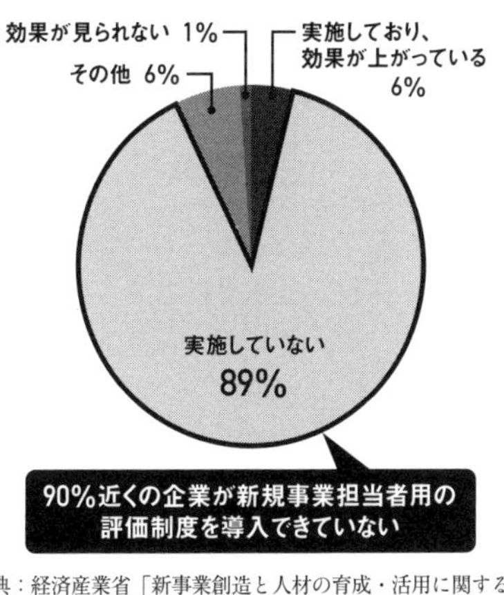

新事業創出の際には、所属部門・部署にとらわれる
ことなく、最適なチーム編成を実施している

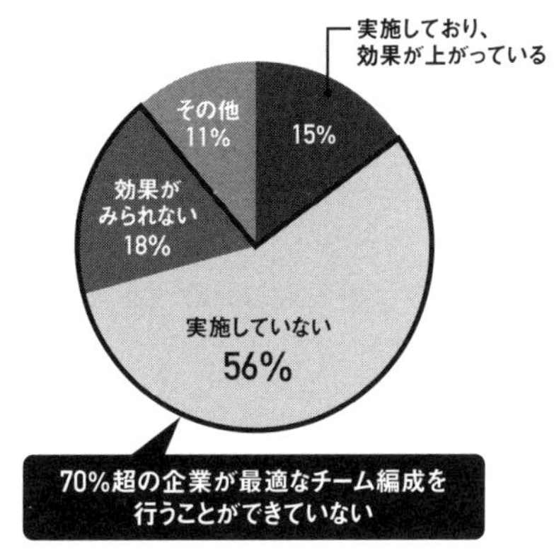

出典：経済産業省「新事業創造と人材の育成・活用に関するアンケート調査」

とができるかどうかは別として、新規事業に対して自律的な意志や行動が伴っている人材が、「なぜ新規事業に取り組みたいと思うのか」「その中で何を重視する価値観の持ち主なのか」という軸によって、志向性を判断する際の参考にします。次ページの図表をご覧ください。

縦軸は新規事業に取り組むモチベーションのタイプを、横軸は重視する観点を表しています。

縦軸は大きく分けて、「ビジョン」や「Will（やりたい）」を重視するタイプで、主に「自分がやりたいことや描いている未来や世界を実現したいという想いが源泉になっているか」、もしくは「ミッションやMust（やらねばならない）／Should（やるべき）／Can（できる）などを重視する貢献意識や使命感が源泉になっているか」で区別する軸です。

一方、横軸は「プロセスよりも成果や業績を重視し、それによって会社

図表 社内のイノベーター人材の志向性タイプと事業開発アプローチ適性の判断軸

縦軸は「Why」＝なぜ新規事業に取り組むかという動機軸
横軸は「What」＝取り組む際に何を重視するかという価値観軸

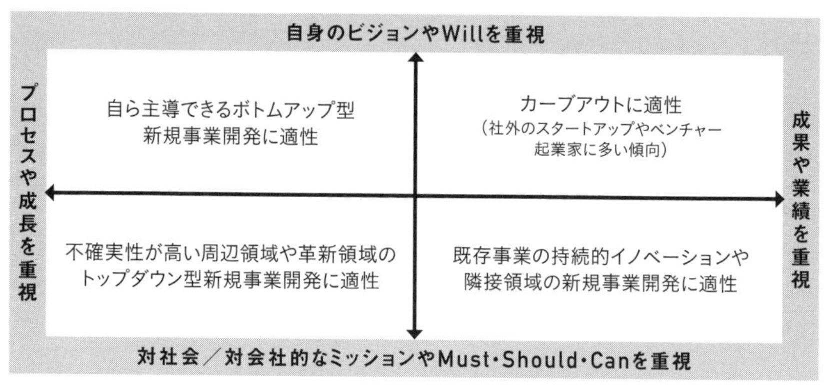

出典：筆者作成

や周囲の人から称賛を受けることを大事にする傾向が強いか」、もしくは「成果よりもプロセスを重視し、自分が楽しめるか、成長できるかを大事にする傾向が強いか」を表しています。

これらは、どちらがよいとか優れているという話ではありません。傾向を把握することで、イノベーター人材のタイプに合わせた適切な支援や具体的な施策を検討する際に活用するのが狙いです。ある調査結果によると、横軸に関しては業績重視の人材よりも、プロセスや成長を重視する人材のほうが新規事業の成功確率が高まるというデータもあります。

筆者の経験則では、右下の象限に位置する人材は、中核領域である既存事業や隣接領域などの不確実性が比較的低い事業開発が向いている人材が多く、右上の象限の人材は社外のベンチャー・スタートアップ起業家に多い傾向があります。社内人材の場合はカーブアウトなどが適しているタイプです。

一方で、左上の象限の人材は、自ら主導できるボトムアップ型の新規事業開発に向いているタイプが多い傾向が見られます。左下の象限は、経営トップなどが管掌する比較的不確実性が高い周辺領域や、革新領域などの新規事業開発に任命されるケースで力を発揮しやすい傾向があります。当然ながらケース・バイ・ケースなので一概には言えませんが、1つの観点として参考にしていただければと思います。

この2軸の観点を通して、イノベーター候補人材を把握し、その上で「資質」の観点から適性の高い人材を見極めていきます。

イノベーター人材の資質を統計的・定量的に見極めるための専門ツールや評価メソッドはいくつか存在しますが、これらを利用しなくても、イノベーター候補人材を把握することは可能です。例えば、新規事業開発に取り組む実践形式の研修やパイロットプロジェクトに参加してもらい、取り組む際の様子や行動を観察することや、資質を見極めるための質問や対話を繰り返すことで、定性的に把握するアプローチも有効です。

実際の研修で思考や行動の傾向を観察したり、プロジェクトの成果や進捗を見て判断したりすることで、より一人ひとりを深く丁寧に見極めることも可能です。

このように「志向性」で候補人材を抽出し、「資質」を見極めることで自社の新規事業開発に適切なイノベーター人材を発掘し、適材・適所を前提に配置することで、実際の新規事業開発への取り組みを始めていきます。

③イノベーター人材やチームの能力・成果を最大化する育成・支援
=事業開発プロセスにおいてイノベーター人材が直面する壁や課題を知る〜イノベーター・ジャーニー・マップの活用〜

イノベーター人材の発掘・配置が完了したら、いよいよ個別の新規事業開発に入っていきます。既存事業とは大きく異なり、新規事業は「高い不確実性」をコントロールするために特有のプロセスで進めていくことになります。

企業としてIRMを実践し、イノベーター人材やプロジェクトチームの能力や成果を最大化できるように育成や活躍を支援するには、まず新規事業開発プロセスの全体像を理解する必要があります。その上で、各プロセスにおいてイノベーター人材がどのような壁や課題に直面し、その時にどのような思考や感情を抱えることになるのかを知り、共感することが重要です。

そのために、筆者が提唱しているのが、「イノベーター・ジャーニー・マップ(IJM)」の活用です。これは「カスタマー・ジャーニー・マップ(CJM)」をIRMに応用したものです。CJMとは、顧客が商品やサービスを購入・利用するまでに、どう認知し、なぜ興味や関心を持ち、何を判断材料に具体的に検討するかなど、どのように思考や感情、行動などが変化するか、その動きを時系列にまとめたものです。

この対象を顧客からイノベーター人材に置き換えたものがIJMです。イノベーター人材は、不確実性が高く困難が伴う新規事業開発を進める各プロセスにおいて、強いプレッシャーに襲われながらさまざまな事業課題や

図表 Relicが提唱する新規事業開発プロセスの全体像

フェーズ	Concept(事業構想フェーズ)				Creation
検証項目	Customer & Problem(顧客と課題)		Value & Solution(提供価値と解決策)		Product & Market
プロセス	Insight(洞察・発見)	Define(検証・定義)	Ideation(アイデア創出)	Prototyping(試作品/MVP)	Development(開発)
概要	顧客や市場の課題発見	課題の蓋然性を検証・定義	課題解決のアイデア検討	アイデアを試作品で検証	プロダクトを開発・提供
目指す状態	質の高い課題の発見	発見した課題の検証完了	解決策の仮説構築	解決策の検証完了	商用プロダクトの提供

出典:筆者作成

組織課題にぶつかり、そのたびにネガティブな思考や感情に陥るリスクがあります。

特に事業リーダーを担うイノベーター人材は立場上、自らの悩みを他人に相談したり、弱みをさらけ出したりすることができない場合も多くあります。孤独な戦いを強いられる状態が続くと、どこかのタイミングで心が折れてしまい、事業の成功を諦めてしまうことも少なくありません。実際に、事業リーダーが自ら新規事業開発から離脱を希望する理由は、新規事業開発そのものの難度や成果よりも、精神的・肉体的な疲れ、社内政治や軋轢など組織の課題が大きい、という調査結果もあります。

そのような事態を未然に防ぐには、イノベーター人材が新規事業開発の各プロセスで事業課題や組織課題を乗り越え、着実に事業開発を進めていけるように支援していくことが必要です。IJMは、イノベーター人材が新規事業開発プロセスで、どのような課題にぶつかるかを可視化したものでもあるのです。

（事業創出・事業化フェーズ）			Complete（成長・拡大〜完成フェーズ）		
（製品と市場）		Feasibility（事業性／収益性）	Scalability（成長・拡大可能性）	Sustainability（持続可能性）	Unifiability（戦略との親和性検証）
	Launch（事業化）	Monetize（収益化）	Growth（成長・拡大）	Exit（新規事業卒業）	Core（既存・中核化）
	良質な初期顧客を獲得	プロダクトの販売・収益化	投資で事業を成長・拡大	持続的な成長の実現	中核領域事業として牽引
	継続利用する顧客の発見	ユニットエコノミクスの成立	拡大と収益性の両立	成長率の維持・拡大	全社KGI／KPIへの貢献

横軸に新規事業開発プロセスを、縦軸に各プロセスにおいて目指すゴールや実施タスク、その際のチームの状態や思考・感情・心理など想定すると直面することが多い課題を列挙していきます（新規事業開発の各プロセスについての詳細は第5章で解説します）。

このようにIJMを活用することで、イノベーター人材が体験することになるストーリーをあらかじめ想定し、その過程で直面する壁や課題を可視化します。適切なIRMを実践していくためには、これらを正しく理解し、共感することが前提となります。

人材や事業フェーズに合わせて支援し、育成・活躍を促進する

IJMを活用してイノベーター人材が乗り越えるべき壁や課題を明確にした後は、その壁の「乗り越え方」や「課題を解決して次のプロセスに進む」ための支援を企業としてどう実行していくかを検討し、策定していきます。

大前提として、イノベーター人材を中心とするチームが自律的・自立的に乗り越えられる課題であれば、チームを尊重して任せたほうが成長や自信につながります。過度な支援や関与は、チームに甘えやノイズを生むことになり、結果として進捗や成果を悪化させてしまいます。

そのため、あくまでも、

- **チームが自分たちで気づいていない課題を客観的に発見し、フィードバックする**
- **チームが自分たちで気づいていても自力では解決できない課題の解決を支援する**

主な狙いであるこの2点に集中するべきです。

企業が行う支援には大きく4つのアプローチが必要です。

1つ目は、「実務的・業務的な支援」です。取り組む業務やタスクを推進する上での補助活動や、業務をサポートすることで着実に前に進める支

援を実施します。新規事業開発の経験者が少ないケースでは、この種の支援は必要になる頻度が高くなります。

2つ目は、「心理的・精神的な支援」です。イノベーター人材の悩みや困り事を聞いて相談に乗る、一緒に検討するために伴走するといったケア。さらに、チームの行動や進捗に対してポジティブなコメントやフィードバックを積極的に提供して、孤独なイノベーター人材の精神面を支えます。これも頻繁に必要になる支援です。

3つ目は、「能力的・スキル的な支援」です。イノベーター人材やチーム自体の能力やスキルを向上させるための研修やワークショップ、アドバイスやメンタリングなどを通じて知見やノウハウを提供します。それによりイノベーター人材やチーム構成員の成長を促し、自力で乗り越えられる範囲を増やします。チームとしての能力が未熟で不十分な場合は、先々を考えると非常に重要な支援になるでしょう。

4つ目は、「物理的・身体的な支援」です。人手が足りない際に人的リソースを追加する、業務を効率化するためのITツールや技術を提供する、身体への負荷が低い労働環境や設備を整えるためのインキュベーション施設やワークスペースを確保する、といった面で支援します。

新規事業開発の各プロセスで頻繁に発生する課題には、ある程度の共通点やパターンがあります。どのような課題が深刻になって解決の優先度が高くなるか、またどのような支援がそのチームにとって必要になるかは、イノベーター人材のタイプやチーム全体の組織能力などによって異なります。前述のイノベーター人材の志向性や資質に加えて、チームとしての能力や状況なども総合的に考慮する必要があります。そのためIRMの実践主体は、事業やチームの状況を日頃から深く観察・洞察し、状況を管理・可視化するための仕組みや環境を整えておくことが重要になります。

では、このIRMの実践主体となる組織には、イノベーター人材は必要ないのでしょうか。理想論からいえば、IRMの実践主体となる組織も新規事業開発を「一通り経験した人」がいるほうが望ましいです。なぜなら、プロジェクトチームが困っている時に、IRMを実践するメンバーに経験

図表 イノベーター・ジャーニー・マップを検討する際の考え方・枠組み(例)

フェーズ		Concept(事業構想フェーズ)			
検証項目		Customer & Problem（顧客と課題）		Value & Solution（提供価値と解決策）	
プロセス		Insight（洞察・発見）	Define（検証・定義）	Ideation（アイデア創出）	Prototyping（試作品／MVP）
概要		深い洞察で顧客や市場の課題を発見	課題の蓋然性を検証・定義	課題を解決するアイデアを検討	アイデアを試作品を活用して有効性を検証
目指す状態		質の高い課題の発見	発見した課題の検証完了	解決策の仮説構築	解決策の検証完了
KPI／評価基準や指標					
取り組むタスク／アクション					
チームの状態	リーダー				
	メンバー				
思考・感情・心理	ポジティブ				
	ネガティブ				
課題					
解決策					
IRM施策	業務的・実務的支援				
	心理的・精神的支援				
	能力／スキル的支援				
	物理的・身体的支援				
IRM主体・体制					

出典：筆者作成

	Creation（事業創出・事業化フェーズ）			Complete（成長・拡大～完成フェーズ）		
	Product & Market （製品と市場）		Feasibility （事業性／収益性）	Scalability （成長・拡大可能性）	Sustainability （持続可能性）	Unifiability （戦略との親和性検証）
	Development （開発）	Launch （事業化）	Monetize （収益化）	Growth （成長・拡大）	Exit （新規事業卒業）	Core （既存・中核化）
	プロダクトと ビジネスモデル を開発	プロダクトを提供し 良質な初期顧客を 獲得	プロダクトの販売・ 収益化	投資によって事業 を成長・拡大	持続的に成長可能 な構造の構築	中核領域の事業 として貢献性を向上
	商用プロダクト の提供	継続利用する 顧客の発見	ユニットエコノミクス の成立	拡大と収益性 の両立	成長率の維持・拡大	全社KGI／ KPIへの貢献

があれば、より早く、より高い精度で理解と共感ができるからです。そして、イノベーター人材が必要とする支援や解決策も効果的なものを打ち出しやすくなります。

スタートアップ界隈では連続起業家（シリアル・アントレプレナー）といわれる何度も起業とEXITを経験した人や、起業した会社が成功を収めた元創業者など、豊富な経験や実績、能力がある人がメンターや投資家となって、次の世代のスタートアップを支援し、成功確率を高める動きが慣習になっています。

ほとんどの企業では新規事業開発や起業に成功した経験者は非常に少ないため、現実的にはIRM実践主体となる組織にアサインすることは難しいかもしれません。しかし、経験した新規事業開発の成否にかかわらず、企業内の新規事業開発経験がある上司の下で活動しているメンバーほど、新規事業開発で生み出す成果が高いというデータも存在します。新規事業開発の経験が一度でもある人材は、新規事業開発リーダーであるイノベーター人材やプロジェクトチームメンバーの痛みや悩みを理解し、共感を持って寄り添いながら伴走することが可能です。もし自社内の人員だけでそのような体制を作れない場合には、積極的に社外の新規事業開発経験者との連携や協力も視野に入れる必要があります。

④健全な多産多死を構造的に実現する組織文化や仕組みの構築・定着

IRMを前提にイノベーター人材に対する支援を続けると、順調に次の段階へ進められる事業と、そうではない事業に分かれてきます。むしろ、大半の新規事業は失敗することになるので、後者のほうが圧倒的に多いといえるでしょう。

思うように進捗せずにKPIが達成できていない事業や、成功確度や成長への期待値が低い事業は、撤退や方向転換（ピボット）を検討しなければなりません。

客観的で納得感のある「撤退基準」を準備する

企業内の新規事業開発では、会社全体のインキュベーション戦略との整合性を意識しながらも、限られた経営資源を最適に分配していく必要があります。

そこで、成功確度や成長への期待値が低い事業は「適切に見極めて早めに撤退し、浮いた経営資源や蓄積された経験やノウハウを、より期待値が高い新規事業や次なる挑戦に積極的に投下していく」ことが不可欠になります。それこそが良質な挑戦の量産を促す「健全な多産多死」の実現につながります。

この健全な多産多死を実現するには資金や設備・システムなどのハード面での経営資源も必要ですが、それ以上に「撤退することになった新規事業を経験してきたイノベーター人材やチーム、そこに蓄積された経験やノウハウなどのソフト面での経営資源」こそが重要です。そのソフト面の貴重な資産を最適な形で活かすためにも、「客観性があり納得感がある明確な撤退基準」を定義することが極めて重要になります。

裏を返せば、それができない企業では撤退や失敗によって得られた経営資源が活かされず、次の良質な挑戦につながらないため、新規事業開発の取り組みが停滞・鈍化していく「不健全な多産多死」になってしまうのです。

では、健全な多産多死を実現するための「客観性・納得感がある明確な撤退基準」について詳細を解説します。

大半が失敗や撤退になる新規事業開発において継続的に良質な挑戦を量産していくためには、撤退になった事業を担当していたリーダーであるイノベーター人材やプロジェクトメンバーが「撤退するという会社の意思決定に対して納得できるようにすること」が何よりも大切です。筆者自身も経験がありますが、特定の上司や役員などの「主観的な判断・基準」が撤退を決めてしまうケースでは、チームは納得感を持つことができず、会社

図表 「不健全な多産多死」と「健全な多産多死」

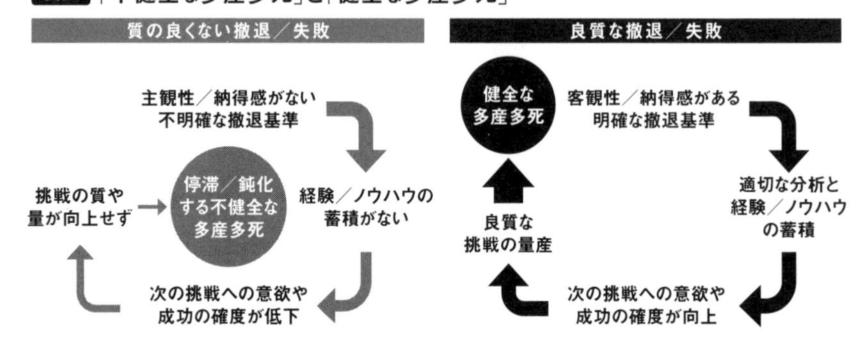

出典：筆者作成

に対する不信感が募り、「この会社にいても挑戦を続けることはできないのでは」と絶望感を覚えます。次の挑戦に対する意欲が削がれ、最悪の場合だと独立・転職といった人材流出につながるリスクが高まります。

しかしながら、「客観的に明示された判断基準」に基づいて撤退が検討・決定され、かつ「丁寧な説明や対話」を通じて納得感を醸成することができると、撤退という決断に悔しさや喪失感は残ったとしても、「何が足りなかったのか」「どうすればより良い事業開発ができたのか」といった前向きな反省や振り返りが生まれます。イノベーター人材たちの学びや示唆を得る成長につながり、それを次の挑戦に活かす意欲にもなり得るのです。

熱意や志を持って新規事業開発に向き合ってきた責任感のあるメンバーほど思い入れが強く、これまで費やしてきた時間や労力、資金といったサンクコスト（撤退・中止で戻ってこない埋没費用）が頭をよぎり、なかなか冷静な判断ができないケースが大半です。だからこそ、会社として「客観性のある明確な撤退基準」をあらかじめ設定しておき、「丁寧な説明や対話」を通じて伝えることで納得感を醸成する必要があります。

右ページの図表では、客観性がある撤退基準を検討する際の観点と指標の考え方を整理しました。

図表　客観性がある撤退基準を検討する際の観点／指標の考え方

高 ← 指標としての優先順位 → 低

高 ↑ 観点としての優先順位 ↓ 低

観点の分類				指標の分類 定量指標（例）	 定性指標（例）
新規事業に取り組む目的や意義	事業成果	事業単体の成果	目指す規模感や時間軸を達成できるか	事業KGI・KPIの達成度	・事業ビジョンやコンセプトの実現度 ・規模感や時間軸の調整が許容できるか ・主要KPIの改善／向上によってKGI達成への道筋が描けるか
			継続的に収益化する構造が作れるか	LTV > CAC（顧客獲得単価）の実現度	・LTV向上／CAC低下による実現可能性 ・"解決策"の変更で改善が見込めるか ・"顧客と課題"から見直す余地があるか
		既存事業とのシナジー	全社ビジョン／戦略との整合性があるか	全社KGI／KPIに対する貢献度 ROA改善度	・全社ビジョンと事業ビジョンの親和性 ・全社戦略における事業の役割／重要度 ・全社観点での優位性強化への貢献度
			シナジーを見込む事業に貢献しているか	既存事業KGI／KPIに対する貢献度 既存事業のROIC改善度	・既存事業に活きる知見／経験 ・既存事業に活きる技術／アセット ・既存事業に活きるブランド／顧客基盤 →などによる既存事業への貢献度
	事業以外の成果		期待される効果や成果に対して投下リソースが適切か	（事業成果以外の観点における）各種KPIへの貢献度 > 投資リソースの実現度	・企業ブランド／イメージ向上やIR・PRの強化 ・イノベーティブな組織文化／風土醸成 ・事業開発能力の向上／経営幹部育成 →などによる事業以外への貢献度

出典：筆者作成

企業の経営方針や取り巻く環境・状況によって判断は変わるため一概には言えませんが、「どのような観点で、どのような指標を意識するべきか」を、汎用的な考え方として記載しました。

観点については、企業がインキュベーション戦略に沿って新規事業に取り組む目的や意義をどのように定義しているかによってポイントが異なります。図表の上段にある観点から順に検討する際の優先順位が高く、どのようなケースにおいても当てはまる可能性が高いことを表しています。

一方、指標に関しては大きく定量的な指標と定性的な指標が存在します。客観性のある明確な基準を定義するためには、定量的な指標がより優先度が高く、重要になってきます。

事業単体としての成果のみを重視する場合は、まず「目指している事業規模を想定していた時間軸で達成できそうか」を、事業のKGI（重要目標達成指標）となる売上高や利益規模、もしくは事業内容やフェーズ、ビジネスモデルに応じた適切なKPIなどの定量指標からその進捗をチェックします。これが順調であれば問題ないのですが、進捗が芳しくないケースでは事業ビジョンの実現度合いや、主要KPIの改善によってKGI達成への道筋が描けそうかを検討します。また、規模感や時間軸を「達成が現実的な範囲に修正・調整しても会社として許容できるか」といった定性面で検討します。

継続的に収益が上がる構造が作れるかどうかは第5章で詳述しますが、「1人の顧客が生み出す利益（Life Time Value＝LTV、顧客生涯価値）＞1人の顧客獲得にかかるコスト（Customer Acquisition Cost＝CAC、顧客獲得コスト）」（LTV＞CAC）という定量指標の実現度で判断し、進捗が悪い場合には同様に定性面の指標も考慮します。

既存事業とのシナジーも重視する場合はどうでしょうか。全社ビジョンや全社戦略・インキュベーション戦略との整合性の観点における定量指標は、全社的で設定しているKGIやKPIに対しての貢献度や、企業全体としてのROA（総資本利益率）の改善度などを採用します。シナジーを見込む事業への貢献という観点では、既存事業のKGI／KPIに対する貢献度や既存事業のROIC（投下資本利益率）の改善度などを用います。

事業的な成果以外を重視する場合でも、投下している経営資源に対して事業以外における各種KPIへの貢献度や、期待される効果・成果が上回っている状態かどうかを定量的に判断することが必要になります。

いずれのケースでも客観性を担保しやすい定量指標を明示した上で検討・一次判断を実施し、定性指標を活用することが重要です。定量指標と異なり、定性指標はその定義や評価・解釈の仕方に差異が出やすいため、会社としての意思決定者とイノベーター人材である事業リーダーやチームメンバーとの丁寧な説明や対話を通じて、双方の認識を合わせて納得感が醸成できるまでコミュニケーションを続ける努力や姿勢が欠かせません。

図表 定量指標と定性指標の活用／検討プロセス

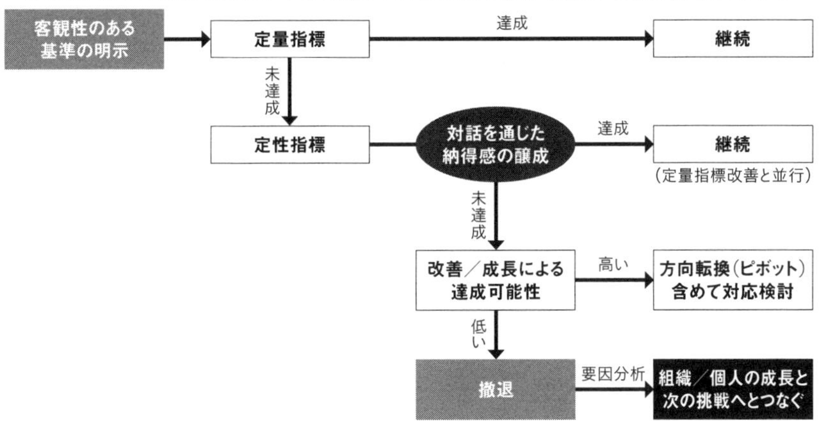

出典：筆者作成

そのうえで、最後に撤退という苦渋の意思決定をするのは経営やマネジメント側の大切な役割の１つです。

最後に、撤退基準や撤退の判断に影響を与え得る環境や要因には何があるでしょうか。あらかじめ客観性のある撤退基準を明示して運用していても、環境や状況が変化することで撤退を検討する観点や指標に影響が出る可能性は常にあります。特に未来を予測することが困難な現代は、変化に合わせて臨機応変に、スピーディーに判断を変更し、意思決定をしていく必要があります。

企業としての判断や意思決定、もしくはその基準となる観点や指標に影響を与える要因は、大きく「外部」と「内部」の2つに分類され、さらにいくつかの観点に分かれます。それらの動向や変化を、短期と中長期のそれぞれで注視しなければなりません。

外部要因はマクロの視点とミクロの視点に分かれます。マクロな視点は主にPESTLE（Political＝政治的／Economic＝経済的／Sociological＝社会的／Technological＝技術的／Legal＝法的／Environmental

図表 **撤退基準の観点や指標に影響を与え得る環境／要因と注視するポイント**

環境・要因			時間軸	
			短期で注視するポイント（例）	中長期で注視するポイント（例）
環境・要因	外部	マクロ	PESTLE観点 （政治／経済／社会／技術／法律／環境）など において急激な変化はないか？	PESTLE観点 （政治／経済／社会／技術／法律／環境）など において将来起こり得る大きな変化は？
		ミクロ	急激な市場／顧客の変化はないか？ 強力な競合／代替品は出ないか？	市場／顧客は存在し続けるか？（縮小リスク） 競争環境や産業構造に起こり得る変化は？
	内部	全社	他事業との関係や制約で目指すビジョンや 求められるKGIに変化はないか？	全社ビジョン／全社戦略との整合性や 全体の優先順位／リソースが維持できるか？
		事業	想定通り顧客課題に対して独自の価値や 競争優位性のある解決策を提供できるか？ （事業コンセプトを実現できているか？）	独自の価値提供や競争優位性を 構造的に実現して維持／強化できるか？
		組織	（スピーディーな検証／実行に不可欠な） 体制やステークホルダー／パートナーの 状態／関係性に変化はないか？	事業リーダー／チームの体制／能力や モチベーションなどは維持／強化できるか？

出典：筆者作成

＝環境的）分析などで対象となる、政治やそれに伴う法律・法規制の側面、経済全体のトレンドや社会全体の構造、世の中に大きな影響を与える技術や環境といったテーマにおいて、どのような動向や変化があるかを注視します。一方、ミクロの視点においては主に市場における競争環境の変化に着目して臨機応変に事業を推進する必要があります。

内部要因は大きく「全社」「事業」「組織」の3つの視点に分かれます。全社の視点では、主に会社全体のビジョンや戦略において新規事業に取り組む目的や意義との整合性や全体における位置づけや、優先順位に変化がないかを確認する必要があります。事業の視点では、想定していたプラン通りに事業が推進できているか、それが一過性のものではなく今後も構造的に継続できるかを常に意識することが重要です。組織の視点では、新規事業開発に欠かせないスピーディーな検証や実行を継続できるチームや体制、ノウハウなどの組織能力を維持・拡大できるか、などを注視します。

2020年からのコロナ禍のように、あらゆる前提が大きく変わってしまうケースでは、もともとの判断基準や意思決定に固執することなく、柔軟に変化に対応していかなければなりません。その際も、撤退基準の変更に至った理由や背景について対話を通じて十分に説明し、納得感を醸成することを怠らないことが、IRMを徹底する上で大切だと筆者は考えています。

成果やプロセスから得た示唆・知見を組織内に蓄積して体系化・形式知化する

適切な撤退基準と丁寧な対話から納得感のある撤退であると判断できる状態を作り上げた後は、新規事業開発チームが挑戦したことで得られた示唆や知見・ノウハウを組織全体として蓄積し、体系化・形式知化することが重要です。目的は、他の今後のチームの新規事業開発に活かすことです。

イノベーター人材とチームのメンバーが、新規事業開発のプロセスに取り組む過程で、どのような課題や困難にぶつかり、それを乗り越えるためにどのような試行錯誤をしてきたのか。課題を解決するための施策や打ち手としてどのようなものを実施し、成果はどうだったのか。その結果から得られた示唆や学びはどのようなものだったのか——。

このような貴重な経験やデータを、プロジェクトチームが解散するたびに雲散霧消させていたのでは、組織として再現性の高い新規事業開発を何度も行うことはできなくなります。次の新規事業開発に活かせる知見やノウハウとして体系化・形式知化してこそ、次の挑戦者がしなくてもよい失敗を避けられ、より良い事業開発や支援となるため、IRMの精度も上がり、事業の成功確率が高まるからです。

例えば、筆者が支援する大手IT企業では、過去の新規事業開発における各プロジェクトチームの取り組みの成果やデータをすべて一元的にIRM実践主体となる組織で集約し、それらを整理して誰でもアクセスして活用できる形にしています。これが新しいプロジェクトチームを支援する仕組みとなり、新規事業開発能力を組織全体として高めることに成功しています。

図表 IRMの精度を高める体系化・形成知化の例

・情報の蓄積／活用により「組織での学習」が可能になり、事業開発の再現性が向上
・全社横断的な仕組みとしてIRM実践主体が体系化／標準化を進めてIRMの精度を高める

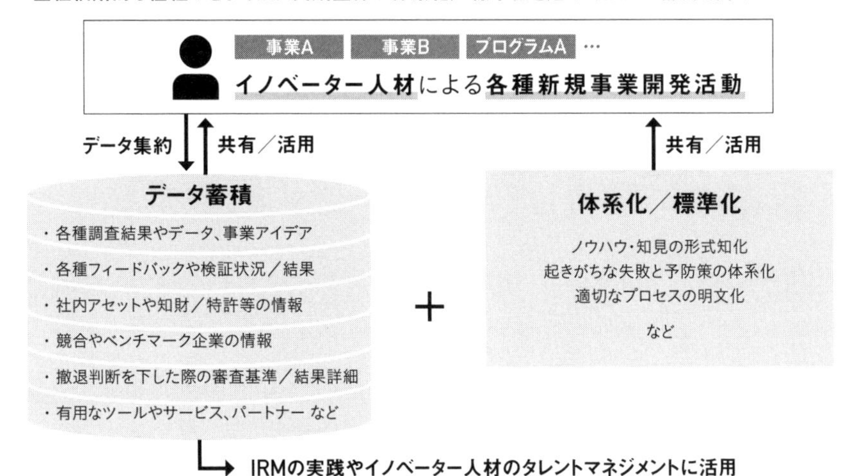

出典：筆者作成

企業内で蓄積すべき新規事業開発の知見やノウハウは大きく2つに分かれます。1つ目は、どの企業にも共通して適用できる汎用性の高いもの。2つ目は、その企業内においてのみ有効な汎用性の低いものです。企業内新規事業の現場では、後者が重要になるケースも多く見られます。前者は外部の企業や専門家などから獲得できますが、後者は意識して自社で蓄積していくことでしか体系化や形式知化が進まないからです。これは大きな組織であればあるほど、その傾向が顕著です。

例えば、ある大手アパレル企業は既存のブランドを毀損しないように、自社の社名やブランド名を伏せたままスピーディーに新規事業に取り組む運営スキームや、パートナー企業との連携パターンを体系化しました。これにより新規事業を量産できる体制を構築しています。

次の挑戦につながるサイクルを生み、挑戦しやすい組織文化と構造を作る

これまで解説してきた取り組みは、一過性で終わらせずに継続するサイクルを生み出し、質の高い挑戦を量産し続ける組織文化や構造として定着させる必要があります。IRMの考え方を前提として自社におけるイノベーター人材の要件を定義し、発掘してプロジェクトチームに配置し、イノベーター人材の能力を最大限発揮させるよう支援し、育成・活躍を促す。そして客観的で適切な基準に基づいて撤退を判断し、再挑戦を促しながら、成功確率を高めるための知見やノウハウを蓄積し、体系化する。この一連の流れをサイクル化する必要があります。

上述のサイクルを継続するのに重要なのが、組織の「制度や構造」と「文化」です。組織におけるハードとソフトとも言い換えられるでしょう。この双方がそろって初めて、継続的なサイクルを生み出し定着させることにつながります。

制度とは、例えば新規事業創出プログラムや社内ベンチャー制度などが該当します。他に優れた事例では、米Googleが「Gmail」などの新規事業を生み出した「20%ルール」などもあります。Google社員は業務時間内の20%は既存業務以外の自由な研究や探索、新規事業の検討などの活動に充ててよいというルールで、これがGmailをはじめとしたさまざまな新規事業を創り上げてきました。

構造とは、例えば新規事業開発のために既存事業とは異なる組織体として「特区」や「新規事業専門の組織や子会社」などを作ることです。既存事業を担う組織とは異なる制度やルール、評価指標などの下で組織運営を行うなど、構造を整えるケースが該当します。

注意しなければならないのは、これらの制度や構造改革は「手段であって目的ではない」という点です。あくまでもインキュベーション戦略に基づき、IRMを適切に実施し、挑戦を継続していくために用いられるべき

手段であり、その手段を導入したことに満足してしまい、目的を果たせないのでは元も子もありません。目的を果たすには前述したように組織文化というソフトと一緒に定着させることが不可欠になります。

では、新規事業開発を継続する組織に必要な文化とはどのようなものでしょうか。筆者は、「新規事業などのリスクが高い挑戦に対して称賛や応援が自然ともたらされる社内文化」だと考えています。少なくとも頭ごなしに否定されたり、批判されたりすることがない文化です。

これは、近年注目を集めている「心理的安全性」が担保されている状態に近いかもしれません。心理的安全性とは、ハーバード大学のエイミー・C・エドモンドソン教授によって用いられた言葉で、次のように説明されます。

「もしリスクを取ったとしても（対人関係上の亀裂や破壊が起こらず）安全であると共有された信念」（“A shared belief held by members of a team that the team is safe for interpersonal risk taking.”）

つまり、組織内でリスクをはらんだ言動をしても問題がないであろうことを、組織に属するメンバーが感じられている状態を指しています。「心理的安全性」が近年注目を集める背景には、Googleが2016年に発表した生産性に関する研究結果があります。同社が自社の数百に及ぶチームを分析し、どのようなチームがより生産性が高い働き方をしているかを調査した結果、心理的安全性がチームの効果性に最も重要な影響を与えていることがわかったのです。

前述した「Googleの20%ルール」のような制度（ハード）だけでなく、心理的安全性が担保されている文化（ソフト）が組み合わさって、初めて新規事業開発などのイノベーティブな活動に取り組み続けるサイクルを生み出すことができるのです。

そのためには、IRMの実践によって企業が一部のイノベーター人材と良好な関係性を構築するだけでなく、経営トップがあらゆる挑戦を奨励し、

図表 定着に必要なハードとソフト

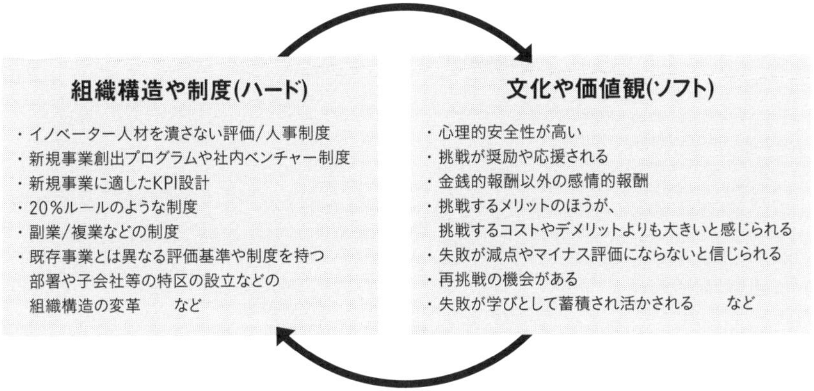

組織構造や制度(ハード)
・イノベーター人材を潰さない評価/人事制度
・新規事業創出プログラムや社内ベンチャー制度
・新規事業に適したKPI設計
・20%ルールのような制度
・副業/複業などの制度
・既存事業とは異なる評価基準や制度を持つ
部署や子会社等の特区の設立などの
組織構造の変革　など
文化や価値観(ソフト)
・心理的安全性が高い
・挑戦が奨励や応援される
・金銭的報酬以外の感情的報酬
・挑戦するメリットのほうが、
挑戦するコストやデメリットよりも大きいと感じられる
・失敗が減点やマイナス評価にならないと信じられる
・再挑戦の機会がある
・失敗が学びとして蓄積され活かされる　など

出典：筆者作成

応援する姿勢を発信して組織全体に波及させ、定着させようとリーダーシップを発揮しなければなりません。

挑戦をいとわない企業文化を組織全体へと定着させるために最も重要なことは、「挑戦することに対する期待値や報酬・メリット ＞ 挑戦することに対するコストやリスク、デメリット」が成り立つ状態を作ることだと筆者は考えます。

新規事業開発のようなリスクと難度が高い挑戦には、誰もが心理的なハードルやストレス、プレッシャーを抱きがちです。多大な労力や時間、そして金銭面以外も含めてさまざまなコストがかかります。成果が出ずに失敗したら、会社からネガティブな評価を受ける可能性もあるなど、多くのデメリットが想定されます。

心理学的にも、人間はポジティブなものを得ようとする力より、「ネガティブなものを避けようとする力」のほうが強く働く傾向があります。そこで、まずはネガティブなものを可能な限り低減することが重要です。

例えば、新規事業開発に取り組むための会社からの支援やバックアップの体制が整っている。既存の業務時間内から稼働を捻出しても、上司や経営層が前向きに理解してくれる。壁打ちや相談の相手になってくれるサポーターがいる。失敗してもプロセスを評価し、成果だけでネガティブな評価やキャリアへの影響がないと約束されている。新規事業に適したKPIや評価指標によって正しく評価される——など、環境を整えることで挑戦することへのコストやリスク、デメリットを下げるアプローチが必要になります。

ただし、コストやリスク、デメリットがなければ自ずと挑戦するようになるかというと、それだけでは不十分です。リスクを取って挑戦することへの期待値や報酬・メリットを高めることで、動機づけを強化していく必要があります。

こうした報酬やメリットを用意して、コストとデメリットを上回るように配慮された設計が不可欠です。どのような報酬やメリットが動機づけになり得るかは、人材の志向性や価値観によるところが大きいので、多様な人材に対応できるように多角的に検討することが重要です。特に、活躍するイノベーター人材には金銭的報酬よりも感情的報酬を重視するタイプが多い傾向があることを念頭に置きましょう。また、外発的要因による動機づけは長続きしないことも多く、報酬やメリットが過剰になると過保護や甘えを誘引し、挑戦の質を低下させる危険性もあるため、バランスを見ながら設計することが重要です。

これまでに説明したステップを通じて、新規事業開発を再現性高く実行し続けられる先進的企業への組織変革を目指します。

また、これからの時代の経営においては、イノベーター人材に選ばれ続ける企業でなければ、先進的企業としての優位性を長く維持することはできません。中長期的な目線に立つと、企業としてイノベーター人材を採用・獲得していく活動の重要性が今後さらに増していくでしょう。すでに活躍しているイノベーター人材の採用や、人材やチームの獲得を主目的としたM&Aや出資・提携の検討はもちろん、未来のイノベーター候補人材を採用・育成することも欠かせません。

また、一度その力を発揮したイノベーター人材を短期間の活躍で終わらせないことも重要です。一定の成果を上げた事業リーダーをある程度軌道に乗ったタイミングやジョブローテーションの時期で異動させた結果、業績が悪化してしまったということが多々あります。事業リーダーの能力が競争優位性に占める割合が大きい場合や、展開する事業や市場において求められるものと適合性が高い場合は、既存の制度にとらわれずに長期政権を可能にするため、異動させないという選択肢も取り得る状態にしておくことが必要です。

最近では、カーブアウトにも多様な取り組みが出てきています。パナソニックはVCのスクラムベンチャーズとの合弁会社である「BeeEdge」を設立し、パナソニックの社内で事業化できなかったアイデアや技術を持つ人材を社長に据え、パナソニックの子会社ではない形で独立性と自由度の高いカーブアウトによる起業を可能にしています。

その他にも、筆者も在籍していたDeNAは「デライト・ベンチャーズ」というベンチャービルダーを組成し、社員のカーブアウトによる起業を促進する活動を始めました。従来のカーブアウトのような大半の株式を親会社が保有する形式ではなく、マイノリティ投資で支援することで、本来ならば起業家として流出していた層の人材との関係性を維持・強化できる点が特徴的です。このように、多様なイノベーター人材に対応するために、企業もさまざまなオプションを用意しなければならない時代になりつつあります。

本章では、新規事業開発を再現性高く実行できる「組織と人材」を創るための論点や、その前提となるIRMという概念、そして組織変革をどのように実施していくかについて解説しました。

次章では、新規事業開発プロセスを詳細に論じ、適切に評価し管理していくための考え方や手法の論点について考察します。

第5章

不確実性をコントロールする新規事業開発プロセスとマネジメントとは

ビジョンに基づくインキュベーション戦略を策定し、IRM（イノベーター・リレーションシップ・マネジメント）の概念を前提にイノベーター人材のポテンシャルを最大化するための体制を組織に導入した後、もしくは導入するのと並行しながら、いよいよ個別の新規事業開発に着手します。

本章では、新規事業開発に伴う不確実性をコントロールするための事業開発プロセスと、その進捗や成果を正しく管理・評価しながら「再現性の高い新規事業開発」を実行するマネジメント方法について解説します。

詳細に入る前に、まず前提として認識していただきたいのは、「どのようなケースにも当てはまる万能な新規事業開発の理論や手法は存在しない」ということです。取り組む新規事業のテーマや領域によって適した新規事業開発プロセスは自ずと異なります。本章で紹介するのは、主に不確実性の高い周辺領域や革新領域で、その不確実性をコントロールしながら新規事業開発を再現性高く進めるためのプロセスです。エリック・リース氏が提唱する「リーンスタートアップ」のほか、近年注目を集める「デザイン思考」など、大家のさまざまな手法や理論はおおむね、「事業アイデ

図表 Relicが提唱する新規事業開発プロセス「フェーズの3C／7つの検証項目／10の

フェーズ	Concept（事業構想フェーズ）				Creation
検証項目	A)Customer & Problem（顧客と課題）		B)Value & Solution（提供価値と解決策）		C)Product & Market
プロセス	①Insight（洞察・発見）	②Define（検証・定義）	③Ideation（アイデア創出）	④Prototyping（試作品／MVP）	⑤Development（開発）
概要	深い洞察で顧客や市場の課題を発見する	課題の蓋然性を検証し、定義する	課題を解決するアイデアを検討する	アイデアを試作品を活用して有効性を検証する	検証結果を踏まえてプロダクトとビジネスモデルを開発する
目指す状態	質の高い課題の仮説を構築できている	課題の仮説が検証によって蓋然性が高い事実になっている	課題を解決するための提供価値や機能とビジネスモデルの仮説を構築できている	顧客の受容性があり課題を解決できるプロダクト要件が明確になっている	商用プロダクトとして提供できる必要最低限の製品や体制ができている

出典：筆者作成

アの仮説を構築し、仮説検証と学習・修正を繰り返しながら不確実性をコントロールする」というスタンスが共通しています。この仮説・検証重視のアプローチの対極にあるのが、「従来の新規事業開発」でよく用いられてきた「調査・分析重視型アプローチ」です。

調査・分析重視型アプローチの落とし穴

調査・分析重視型のアプローチは、既存事業やそれに近い隣接領域、また不確実性の低い周辺領域で新規事業を開発する場合、今も有効になり得る手法です。市場の動向やトレンド、顧客ニーズやデータを調査し、競合他社を徹底的にベンチマークし、自社の強みや優位性が活きる商品やサービスを検討する。「3C（Customer＝市場・顧客、Competitor＝競合、Company＝自社）分析」などの観点を取り入れながら、いかに市場にある空白や優位性を持てる独自のポジションを見つけるか——。

プロセス」

（事業創出・事業化フェーズ）			Complete（成長・拡大〜完成フェーズ）		
（製品と市場）		D)Feasibility（事業性・収益性）	E)Scalability（成長・拡大可能性）	F)Sustainability（持続可能性）	G)Unifiability（戦略との親和性）
	⑥Launch（事業化）	⑦Monetize（収益化）	⑧Growth（成長・拡大）	⑨Exit（新規事業卒業）	⑩Core（既存・中核化）
	プロダクトを提供し良質な初期顧客を獲得する	プロダクトを販売し収益化する	投資によって事業を成長・拡大させる	持続的に成長可能な構造を作る	中核領域の事業として貢献性を高める
	プロダクトに満足し継続利用する顧客や市場が見つかっている	ユニットエコノミクスが成立している＝LTV > CACの状態になっている	市場／顧客を拡大しても事業性や収益性が担保できている	中長期的に成長率を維持・拡大できる算段が立っている	ビジョンや戦略との親和性を高めてシナジー創出や全社KGI／KPIへ貢献する

しかし、不確実性が低いということは機会がすでに顕在化していることを意味します。多くの他企業もそこに気づき、将来の参入が相次ぎ、あっという間に競争の激しいレッドオーシャンと化すでしょう。生き残れるのはごく一部の企業だけになり、価格競争が強く働いて利益が出にくい市場構造になるリスクが高いのです。

一方、まだ市場や顧客が存在するかもわからない、不確実性の高い周辺領域や革新領域で新規事業開発に取り組むと、調査や分析の対象となるデータも、ベンチマークの対象となる競合も存在しないことも少なくありません（第3章参照）。そこで「仮説・検証重視型アプローチ」が有効になるのです。不確実性が高いため成功確率は当然下がるのですが、市場の魅力や機会が「顕在化していない」ため、他社との競争に陥らない可能性は高くなります。うまく市場を創造して事業を成長させた暁には、圧倒的に優位なポジションとシェアを獲得して市場を席巻し、多くの利益を享受できる可能性があります。だからこそ、スタートアップなどでは主に「仮説・検証重視型アプローチ」が採用されているのです。

では、従来の調査・分析重視型アプローチとは異なる、仮説・検証重視型アプローチでの新規事業開発プロセスはどのようなものでしょうか。筆者はこれまで多くの新規事業開発を支援してきた経験から、下記のように新規事業開発プロセスを体系化しています。

新規事業開発におけるフェーズの「3C」

まず、事業開発の全体像から大きく3つのフェーズに分かれます。

■1・Concept（事業構想）フェーズ（0→1）
■2・Creation（事業創出・事業化）フェーズ（1→10）
■3・Complete（成長・拡大〜完成）フェーズ（10→100）

これは、新規事業の構想を練る段階から、実際に創出された事業が成長・拡大していくことで、完成度を高めていくことを意味しています。最終的には新規事業という枠組みを卒業し、既存事業・中核事業として全社的に重要な役割を担い、貢献するようになるまでの一連のステップをまとめたものです。

各フェーズの中で検証するべき項目は分かれます。「■1・Concept（事業構想）フェーズ」では、「顧客と課題」と「提供価値と解決策」について検証し、事業構想の大枠を固めます。次の「■2・Creation（事業創出・事業化）フェーズ」では、「製品と市場」および「事業性／収益性」を検証するため、事業構想に基づいた実際のプロダクト（商品・サービス）を開発して世に出し、事業として収益を上げることを目指します。最後の「■3・Complete（成長・拡大〜完成）フェーズ」では、「成長・拡大の可能性」と「持続可能性」、そして「ビジョンやインキュベーション戦略との親和性」を検証しながら、新規事業の立場を卒業し、新たな中核事業として全社の事業ポートフォリオに組み込まれて全社利益に貢献していくことを目指します。

この3つのフェーズを通して、7つの項目の検証に取り組みながら新規事業開発を進めていきます。

新規事業開発における7つの検証項目

新規事業開発における7つの検証項目は、以下です。

A)　「顧客と課題」(Customer & Problem)
B)　「提供価値と解決策」(Value & Solution)
C)　「製品と市場」(Product & Market)
D)　「事業性・収益性」(Feasibility)
E)　「成長・拡大可能性」(Scalability)

F)　「持続可能性」(Sustainability)
G)　「戦略との親和性」(Unifiability)

そして、これら7つの検証項目を突き詰めていくために、「10の事業開発プロセス」を実行していきます。

新規事業開発における10のプロセス

① Insight(インサイト)＝深い洞察により課題を発見する
② Define(ディファイン)＝課題仮説の検証を通じて課題を定義する
③ Ideation(アイディエーション)＝定義した課題を解決するアイデアを検討する
④ Prototyping(プロトタイピング)＝アイデアを試作品にして有効性をテストする
⑤ Development(デベロップメント)＝テスト結果を踏まえてプロダクトとビジネスモデルを開発する
⑥ Launch(ローンチ)＝プロダクトを世に出して良質な初期顧客を獲得する
⑦ Monetize(マネタイズ)＝プロダクトを提供・販売して収益化する
⑧ Growth(グロース)＝投資によって事業を成長・拡大する
⑨ Exit(イグジット)＝持続的に成長可能な構造を作る
⑩ Core(コア)＝中核領域の事業として貢献性を高める

新規事業開発で最初に着手する「■1·Concept（事業構想）フェーズ」では、全7つのうち2つの検証項目をします。まず、A）「顧客と課題」を検証する際には、深い洞察で顧客や市場の課題を発見する「①Insight（インサイト＝気づき）」と、その課題の蓋然性（確からしさ）を検証して定義する「②Define（ディファイン＝定義）」という2つのプロセスで検討します。次のステップでB)「提供価値と解決策」を検証するには、課題を解決するアイデアを検討する「③Ideation（アイディエーション＝発想)」と、そのアイデアの有効性を試作品（プロトタイプ）によって検証する「④Prototyping（プロトタイピング＝試作化)」のプロセスを用います。ここまで進むと事業の大枠の構想が形になり、事業プランや事業計画なども検討できるようになります。

次にくる「■2・Creation（事業創出・事業化）フェーズ」、最後の「■3・Complete（成長・拡大〜完成）フェーズ」については、第6章で説明します。

事業構想段階で手厚く資金や人材を投入すると命取りに

不確実性の高い領域での新規事業開発においては、検討の初期段階である事業構想フェーズに資金や人材を集中させるのは得策ではありません。むしろ、事業開発のフェーズが進むごとにより多くを投資する必要性が高まるため、最初は可能な限り投下するリソースを最低限に抑え、検証状況や進捗に応じて段階的に投資を進めていくのが望ましいといえます。

しかし、多くの企業では働く人の大半が既存事業に関する仕事しか経験していないため、従来の調査・分析重視型アプローチに慣れており、放っておくと事業構想を検討する初期段階に多大なるリソースを投入してしまう状況が起こりがちです。実際、新規事業開発プロジェクトでは、検討の初期段階で調査・分析・プランニングに大量の時間や資金、人材を投じて失敗してしまうケースが多く見られます。

ある大企業では市場調査や分析を踏まえたプランニングの段階で半年以上の期間をかけた上、外資系コンサルティングファームに数億円もの費用を支払って外注していた例がありました。大量のリソースを投下した結果、斬新で画期的な新規事業アイデアが出され、ピカピカの事業プランを練り

図表 **不確実性の高い新規事業開発におけるリソース配分の考え方**

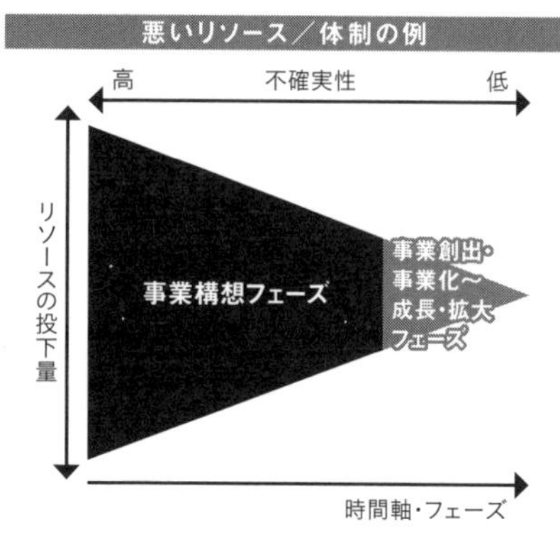

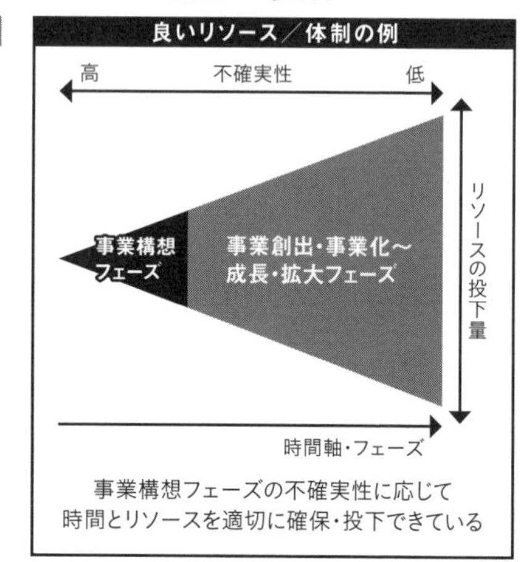

出典：筆者作成

上げたように当初は見えました。しかし、実際には検証活動が不十分で、そのプランを実行してみてもまったく想定通りに進まず、結果としてその事業は失敗し、多額の投資が水の泡となりました。このような話は決して珍しいことではありません。

こうした失敗を回避するためにも、不確実性の高い領域での新規事業開発では、事業構想フェーズ以降の検証活動や実行・推進に対して十分な投資ができるよう、リソース配分を意図的に設計・準備することが鉄則となります。

では、■1・Concept（事業構想）フェーズから、検証項目やプロセスの詳細や、よくある課題などの重要な論点について解説していきます。

1 Concept（事業構想）フェーズ

事業の本質は「顧客に対して何らかの価値提供や課題解決を行い、それに対して対価を支払ってもらう」ことで収益を上げることです。最初の■1・Concept（事業構想）フェーズでは「顧客と課題」と、それに対する「提供価値と解決策」をセットで検討し、その蓋然性（確からしさ）を検証することで事業の骨格を定義していきます。

このフェーズで考えるべきアプローチには大きく2つの軸があります。1つは、構想の起点や進め方の軸。Ⅰ・「顧客と課題」を起点に検討するのか、それともⅡ・「提供価値と解決策（製品やサービスのアイデア）」を起点に検討するのかという軸です。もう1つは、詳細を後述しますが、解決する課題の定義の軸です。

この2つの軸によって分類すると、「■1・Concept（事業構想）フェーズ」における開始アプローチは、下記の図表のとおり4つに分類できます。

図表 事業構想フェーズのアプローチ分類

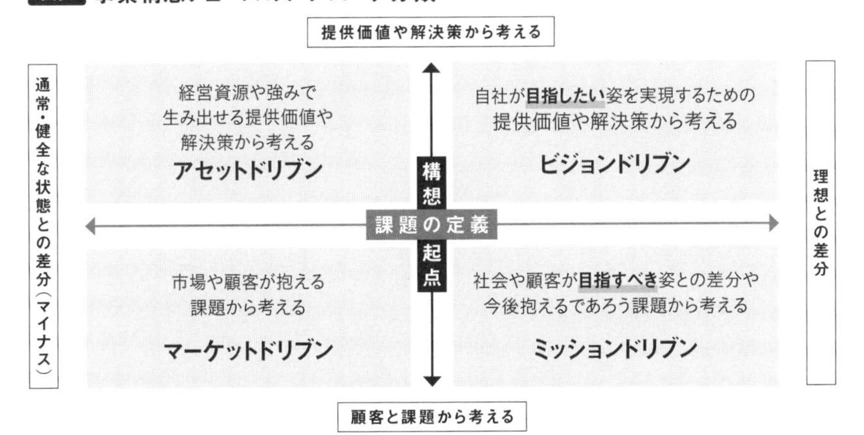

出典：筆者作成

いずれのパターンも自社のビジョンやインキュベーション戦略、狙うテーマや領域、事業開発アプローチなども含めて総合的に判断する必要があります。例えば、不確実性が高く、論理的・定量的な課題の証明もしづらい「ビジョンドリブン」でアプローチする場合は、強い権限と裁量を持つ経営トップが主導し、管掌するトップダウン型の事業開発でないと推進が難しい面があります。このような組み合わせや相性なども考慮しながら、バランスよく検討することでリスクを分散し、再現性を高めていくのです。

あくまでも事業構想を練る初期段階における起点となるアプローチであり、最終的にはどのアプローチであっても「顧客と課題」と「提供価値と解決策」がフィットしている状態にしなければなりません。

I・「顧客と課題」を起点に検討する方法

「顧客と課題」を起点に検討する場合は、「誰が、どんな場面で、どんな課題を抱えているのか」を明確にし、それに対する提供価値や解決策を検討します。後者の「提供価値と解決策」を起点に検討する場合は、「自社が提供できる価値や実現できる製品やサービスのアイデア」を検討してから、「それが誰の、どんな課題を解決できるのか」を探索していきます。

新規事業開発の初期段階で顧客と課題を十分に検証しないまま、解決策となる製品・サービスのアイデアを考えようとすると、「顧客が求めていないもの」を開発してしまう可能性が高く、不確実性が大きく跳ね上がります。

2つ目の軸は、「課題を定義する」ことでアプローチしていくものです。「現状が健全ではないマイナスの状態」と「通常の健全な状態」との差分(ギャップ)を課題と定義するか、もしくは「目指す理想の状態」と「現状」とのギャップを課題と定義するのかという軸です。

前者の定義では、課題とは「不満」「不便」「不足」「不安」「不快」「不平」「不利」などの「不」から始まる言葉で表現されると捉えればイメージしやすいでしょう。別の言葉で「ペイン（痛み）」と表現することもあります。これは「健全な状態」が社会の共通認識となっているテーマや領域で発生しやすい傾向があります。例えば、顧客が一般消費者の場合は、主に日常生活にかかわるテーマや領域で、最低限の衣食住や、健康にかかわる医療や介護、ヘルスケア、教育関連や各種インフラなど。顧客が法人の場合は、無駄なコストや非効率な業務などを削減・改善や、短期的な売上の向上やキャッシュフロー改善など、定量的にわかりやすい成果を求められる領域などが該当します。

一方、後者の定義では、課題とは「あくまでも理想や目指す状態」とのギャップです。現状が明らかに不健全なマイナス状態とはいえないので、「不」や「ペイン」などの言葉では表現されにくい面があります。また、現時点では顧客自身が課題として強く認識していないことも多く、顕在化しづらい課題ともいえます。これは、価値観や考え方が多様で、理想の状態を追求しやすい領域で発生する傾向があります。例えば、顧客が一般消費者の場合は、主に非日常に関わるテーマや領域です。ゲームやスポーツ、各種メディアのコンテンツやイベント、娯楽産業などのエンターテインメントや文化・芸術、旅行や観光、嗜好性の高いファッション・アパレルや美容などです。顧客が法人の場合は、中長期的な投資による企業価値の向上や事業ポートフォリオや構造の改革、組織や人材の能力強化・育成、組織風土や文化の醸成や、ブランディング、顧客のロイヤルティーやエンゲージメントの向上など、短期的な定量評価がしづらい定性的なテーマや領域などが該当します。この軸においては、顕在化しづらい後者の定義の課題を対象にすると不確実性が高くなる反面、競合や類似・代替品が存在していないケースが多く、先行者利益を獲得しやすいといえます。

それでは、「新規事業開発における7つの検証項目」と、「新規事業開発における10のプロセス」について詳細を見ていきましょう。

7つの検証項目
A)「顧客と課題」(Customer & Problem)

不確実性をコントロールするという観点で、最初に検討することになるのは、新規事業開発での7つの検証項目の最初にくるA)「顧客と課題」(Customer & Problem)です。これは「マーケットドリブン」「ミッションドリブン」の事業構想アプローチの際には特に、優先して着手します。

この検証活動は大きく2つのプロセスに分かれます。1つは深い洞察をもって課題の仮説を発見・構築する「①Insight」(深い洞察により課題を発見する)であり、もう1つはInsightを経て発見した課題の仮説を検証し、蓋然性(確からしさ)が高い事実として定義する「②Define」(課題仮説の検証を通じて課題を定義する)です。それぞれについての要点や、検討を進める際の注意点などについて解説していきます。

①Insight～深い洞察により顧客の課題を発見する

①Insightは「誰の、どんな課題を」解決する事業にするかの検討です。主な論点は「顧客は誰か」と「どんな課題を抱えているのか」の2つ。「A・主な対象とする顧客を設定し、その顧客が抱えている課題を発見するアプローチ」と、「B・最初に課題を設定し、その課題を抱えている顧客を探索するアプローチ」で考えます。

・顧客から考えるか、課題から考えるか

まず、Aの主な対象とする顧客を設定する場合は、例えば自社の既存事業や競合が取り込めていない顧客層を取り込みたい、などの戦略上の狙いから設定する方法があります。「現状では大手企業との取引が中心だが、競争が激化してきているため今後は広く中堅・中小企業向けにも事業を展開していきたい」とか、「今の顧客は独身女性が中心だが、年齢を重ねてライフステージが変わるのを見据えて、主婦やママ層向けの事業を展開し

たい」といったケースが該当します。

社内の意志を起点にしているため、既存事業との棲み分けや、競合とのポジショニングの違いなどは明確にしやすいでしょう。反面、より魅力的な成長市場や有望顧客を見逃してしまう可能性もあるので注意が必要です。

一方、Bの最初に課題を設定する場合はどうでしょうか。一例として、共感や想像しやすい特定の顧客が抱える課題に着目する方法があります。自分自身や、自分の身近な人が抱えている課題に着目して深掘りし、同じような課題を他の顧客も抱えていて普遍性を持つものなのかを検討するのです。

例えば、自分や家族が親の介護に関わる中で、嚥下(えんげ)食を用意し続けることに「課題」を感じた場合、その経験から「特に何に一番苦労していたのか」を考え、他の介護家族も同様の課題を抱えているのかを検討していくケースが該当します。自分自身や身近な人などの特定の顧客をペルソナの起点にしているため、顧客の表面的な思考や言動だけでなく、表面化しづらい心理や感情に対する共感や想像を伴った深い洞察力を発揮しやすくなります。この場合、まだ顕在化していない潜在的な課題を発見できる可能性が高いのですが、一方では非常にニッチな課題に留まってしまう可能性もあります。そのため、「同じような課題を抱える顧客がどれだけ存在するのか」を慎重に検証しなければなりません。

・社会や市場の課題やマクロのトレンドから考える

社会や市場の課題やマクロのトレンドなどから、今後大きな市場を形成しそうな層を設定していく方法もあります。例えば、「今後は個人資産や貯蓄が多いシニア層に大きな市場が形成されるため、シニア層向けの事業を展開したい」であるとか、「ミレニアル世代、Z世代といった新たな消費トレンドを生み出す層に向けて一早くリーチしたい」などのケースが該当します。

社外の動向やトレンドを起点にしているため、成長市場や有望顧客層の取りこぼしは起きにくい面があります。しかし、参入する企業も増加して競争が激しくなる可能性もあることは認識しておくべきでしょう。顧客から考える場合は、顧客セグメントの定義をしっかりと確定しなければ意義のある検討につながらない可能性があるため、注意が必要です。

例えば、国連のSDGsで設定された社会課題に着目し、「誰もが質の高い教育を受けられるように機会を平等にしたい」と考えたとします。ただ、このままでは課題が壮大で抽象度が高すぎ、「質が高い教育とは何か」「教育にもさまざまな分野や領域があるが、どこに焦点を当てるのか」が不明瞭です。こういう社会的な課題の場合、実際に事業で解決できるレベルまで課題とそれを抱える顧客を具体化していく必要があります。例えば、教育の中でも現在日本が世界と比較して後れており、今後はIT人材が圧倒的に不足する見込みから、IT人材の育成につながるプログラミング教育に焦点を当てたとします。日本でも2020年度から小学校でプログラミング教育が必修化されたため、ますます需要が高まると想定されますが、実際に本格的にプログラミングを学ぼうとすると非常に高価な教材やサービスが一部の首都圏エリアや富裕層に対してのみ提供されるばかりで、なかなか地方も含めた一般の家庭に広く普及していない。地方の一般的な家庭でプログラミングを子供に学ばせたいと思っても、現状は手頃な価格で本格的なプログラミング教育を受けられる環境はない——。といった具合に、課題を具体化していくことで、解決策となる事業やサービスを検討できるレベルまで落とし込んでいく必要があります。このように、普遍的な広い課題は見つけやすい反面、具体化や深掘りには鋭い洞察力が必要となります。

・課題を発見するための「多角的な洞察」と「深掘りによる構造化」

では、鋭い洞察力を発揮して課題を発見するには、具体的にどうしたらよいのでしょうか。ポイントとして2つあると筆者は考えます。1つは、課題を多様な視点から見て情報を取得し、多角的に捉えることです。そのためには、大きく以下の4つの調査手法を目的に応じて採用することが有効です。

▼多角的な洞察を実現するための4つの調査手法

①デスクリサーチ

机上で完結できる類の調査手法で、実際の調査を自ら行わずに、すでに何らかの目的によって実施された調査結果や文献・論文やデータ・レポートなどをインターネットや書籍・図書館などで収集することを指し、素早く産業の構造や市場の概観、動向やトレンドや業界全体の課題などの大枠を把握するのに適した手法といえます。また、近しい業界や類似のビジネスモデルの企業のホームページや展開している製品・サービス、IRや決算情報などを調査することから得られる示唆も多いですし、SNSのトレンドやユーザーのコメントや口コミ、Googleトレンドやキーワードプランナーなどを活用して、世の中でどのようなワードで、どの程度のボリュームで検索されているかを見ることで、顧客の需要を推し量ることなども有効です。ただし、あくまでもすでに表面化している既知の情報を収集する手法になるので、情報の質や希少性という意味では差が作りづらいため、あくまでも広く浅く、スピードを重視して全体観を把握し、深掘りして調査する内容を決めるために活用するものと認識しておくとよいでしょう。

②エキスパートインタビュー

特定分野や領域、業界などの有識者や専門家に対してインタビューを実施する手法であり、短時間で当該分野の全体観や課題、機会、最新動向や希少性の高い情報や機密性の高い情報などを把握するのに適しており、課題の仮説立案に役立てることができます。仮に検討する新規事業が自分の専門外で情報や知見が不足している場合などは特に有効で、質の高い情報をスピーディーに収集しつつ、客観的な意見やコメントをもらうことができます。ただ、有識者や専門家といっても、その得意領域や詳しい分野などは細分化されていることもあり、検討している事業や市場・顧客に関するエキスパートとして適切かというのは慎重に判断しなければなりません。また、実際の事業に関わった経験がなかったり、顧客と直接接点を持っていない、もしくは乏しい方の場合はデスクリサーチで得られるものと大差ない情報しか持ち得ない可能性もありますので、自分にとって適切なエキスパートとの接点を持てるように意識して動きましょう。なお、エキスパートとの接点を作る際には、その方やその方が在籍する企業や組織、団体のホームページやブログ・SNSなどから直接連絡するのが最も手っ取り早く、お金もかからないのでおすすめです。事業への想いや、検討している背景や経緯、なぜその方にインタビューしたいのか、何を聞きたいのかなどを明記した上で丁寧に連絡をすれば、思いのほか真摯に対応いただけるものです。また、自社がそれなりの規模の企業であれば、恐らく社内にもさまざまな分野のエキスパート、もしくはエキスパートとつながっている社員が在籍している可能性も高いので、社内のネットワークをフル活用していくやり方も有効ですし、自身のSNSなどを活用して紹介や協力者を募るやり方もあります。

③顧客インタビュー(顧客との対話)

想定している顧客や、顧客像と近い見込み客などに対して直接インタビューを行い、顧客の思考や心理、感情や言動などの生の一次情報を得ることで課題の発見につなげるための手法です。特に不確実性が高い新規事業開発においては、この顧客インタビューは必須であり、極めて重要な位置づけになります。なぜなら、デスクリサーチやエキスパートインタビューからは得がたい顧客自身の生の情報を直接の対話や質問を通じて深掘りを行えるため、前述の2つの方法よりも圧倒的に深く、希少性の高い情報を得ることができるからです。しかし、正しく実行するためにはそれなりの経験やスキルが必要になるため、注意点として、最低でも以下の3つは意識して実行し、経験を積みながら改善を重ねていくとよいでしょう。

i) 聞ける人／聞きやすい人ではなく、聞くべき人に聴く

想定している顧客像やセグメントからかけ離れた人にインタビューをしても有用な情報や示唆は得られない。身近に聞きやすい人がいるからといって、顧客像とかけ離れた人へのインタビューを繰り返すのは非効率。

ii）自分の仮説や意見を押し付けず、誘導尋問をしない

あくまでも顧客の声を聞くことに徹する。自分にとって都合の良い回答を引き出そうとしない。

iii）オープン・クエスチョンを中心にインタビューを設計する

YESかNOのどちらかで答えられる質問＝クローズド・クエスチョンでは顧客から得られる情報が限定され、かつ誘導尋問にもなりやすい。この段階ではあくまでも課題の発見のための傾聴に集中するべきであり、具体的な商品やサービスのアイデアがあっても伝えない、もしくはインタビュー後に伝える。

インタビューの対象となる顧客との接点を作る際にも、前述のエキスパートインタビューにおけるエキスパートとの接点の作り方と同様のやり方が有効ですが、エキスパートよりも出現率が高く、また必要なインタビュー実施数／サンプル数も多くなるため、費用や効率の面から、自分自身や自社のネットワーク活用の有用性がより高くなる傾向があります。また、顧客が一般消費者であれば、顧客が現れる場所やイベントなどに出向き、直接声がけをしてインタビューをさせてもらうのも1つの手です。また、どんなに工夫してもインタビュー相手と接点を持つのに苦労する場合は、そもそも対象としている顧客が少なすぎたり、自社とは遠すぎるため、筋が悪い可能性もあります。

④顧客の行動観察

顧客インタビューと同様に、想定している顧客や、顧客像と近しい見込み客などから直接的に生の一次情報を得られるという意味で重要ですが、対話や質問を通じて情報を得るのではなく、徹底して言動や行動を観察することで示唆や情報を得る手法になります。最大の特徴は、顧客インタビューなどで顧客自身がうまく表現や言語化ができない課題や苦労、ストレスなどを発見し、課題の仮説を立てられる可能性がある点です。

脳科学や認知心理学の研究では、「人間の行動の95％は無意識に操られ

ている」ともいわれていますが、顧客は自分が欲しい物が何かをわかっていないという前提に立ち、まだ顕在化していない潜在的な課題を発見しようとすることは、少なくとも不確実性が高い革新領域の新規事業を生み出すためには欠かせない重要な姿勢であるといえます。

▼深掘りによる構造化

２つ目のポイントは、課題を深く掘り続け、構造化することです。表面的な課題で満足せずに、

- 具体的には何が課題なのか？
- どのような場面で発生している課題なのか？
- なぜそのような課題が発生しているのか？
- なぜ既存の製品やサービスでは解決していないのか？
- 現状はその課題に対してどのように対処しようとしているのか？（それとも諦めているのか？）

といった観点で深掘りすることで、課題が発生する根源となっている真の要因＝深い課題の発見につなげていきます。

例えば、共働き家庭における主婦の課題について深掘りを進めたケースを考えてみましょう。顧客像に当てはまる主婦の方に、普段の生活での苦労やストレス、困り事についてインタビューを重ねると、多くの方から、仕事と家庭の両立に悩んでいるという声がよく聞かれます。なぜ悩んでいるかを聞いていくと、仕事に関する悩みと家庭に関する悩みに分かれ、家庭に関する悩みの中でも、家事の負担が大きいという悩みと、育児が十分にできていないという悩みがあることがわかりました。育児についてさらに深掘りして、なぜ育児が十分にできていないと感じるかを聞いてみると、保育園に通わせること自体に罪悪感がある（幼稚園に通わせてあげたい）、共働きで収入には余裕がある分、もっと質の高い教育を受けさせたり、可

図表 Insightで発見すべき課題

新規事業開発とは、世の中の未解決の課題を発見し、解決すること
顧客が抱える、**未解決の「課題」を発見**することが1歩目

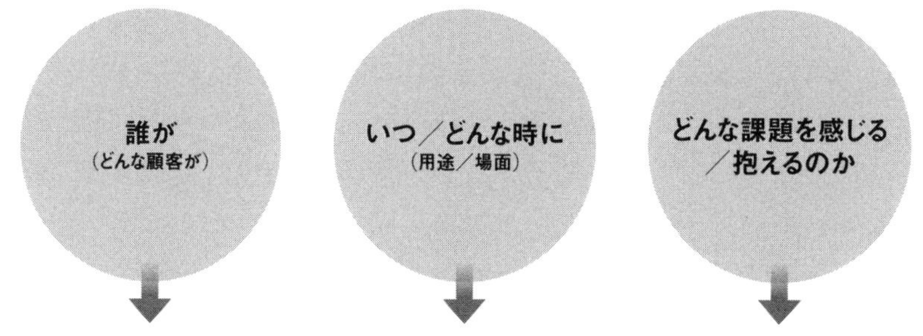
新規事業開発の構想の起点となる「顧客と課題」を考える
誰が
（どんな顧客が）
いつ／どんな時に
（用途／場面）
どんな課題を感じる
／抱えるのか
顧客の課題を発見し、検証するためにインタビューやリサーチを実施

出典：筆者作成

能性を広げるためにいろんな習い事や教室に通わせたりしたいが、現状できていないといった声があがります。では、なぜ子供を習い事に通わせることができないのかと聞いていくと、平日は仕事があるので子供を送迎できない、また土日はそもそも通える習い事が少ないし、もしあったとしても土日はなるべく家族で過ごしたいので習い事は入れたくない、という理由があることがわかりました。平日の送迎ができないという課題に対して、送迎付きの習い事などではなぜ解決できないのかを聞くと、高額なので手が出なかったり、習い事の種類が限定されてしまう、やはり自分が送迎してあげないと不安という反応が多く、家庭教師やベビーシッターなどの自宅に来てもらう形のサービスは、来客対応やそのための準備・掃除などでかえって負担が増加するので避けたいという回答が大半を占めました。そのような状況で、何もしないよりはましかと考えて、仕方なく低額の通信教材や知育玩具などで最低限の取り組みをしているが、満たされていない、という方も多くいました。

このように課題を深掘りし、構造化していくと、課題がいくつかに分類

され、より階層の深い課題にたどり着くことができるようになります。
この、「多角的な洞察」と「深掘りによる構造化」によって、課題を発見し、課題の仮説を構築することがこのInsightのプロセスにおいて目指す状態となります。

②Define～課題仮説の検証を通じて課題を定義する

①Insightのプロセスを経て、顧客と課題についての仮説を打ち立てた後は、その時点ではまだ仮説でしかない顧客と課題を、蓋然性（確からしさ）の高い事実として定義していくプロセスである「②Define」へと移行します。

・課題の質は高いか？

解決した時のインパクトが大きく、事業としてポテンシャルが高い課題を「質が高い課題」と筆者は呼んでいます。Insightで発見した課題が、確かに存在するものなのか、その課題の質が高いもので解決するに値する課題なのか、といった観点で検証し、その課題の蓋然性と質を確かめていきます。
では、新規事業開発の際に解決すべき、質が高い課題の定義とはどのように考えるべきでしょうか。筆者は以下の4つの観点で課題を評価・検証するべきだと考えています。

Define（1）課題の広さ＝同様の課題を抱える人や企業が世の中にどの程度いるのか
Define（2）課題の発生頻度＝どの程度の頻度で課題が発生するのか
Define（3）課題の深さ／深刻さ＝どの程度困っているか、悩んでいるか
Define（4）課題の発生構造＝課題は一過性のものではなく構造的に存在・拡大を続けるか

それぞれについて、見ていきましょう。

Define（1）課題の広さ＝同様の課題を抱える人や企業が世の中にどの程度いるのか

「同じような課題を抱える人や企業が世の中にどの程度いるのか」という観点です。「課題の広さ」を評価・検証すると考えればいいでしょう。課題は広ければ広いほど、社会や世の中に共通する普遍的な課題ということになります。

Define（2）課題の発生頻度＝どの程度の頻度で課題が発生するのか

その顧客の課題が「どの程度の頻度で発生しているのか」という観点からの評価・検証です。ごく稀にしか発生しない課題よりも、頻繁に発生する課題のほうが、当然ながら顧客が解決を求める頻度が高くなります。

Define（3）課題の深さ／深刻さ＝どの程度困っているか、悩んでいるか

顧客がその課題に対して「どの程度の深刻さで困っているか、悩んでい

図表 課題の質を評価・検証するための観点

仮説を立てた顧客課題を検証し、課題の質を確かめる
質の高い課題ほど、解決できた時のインパクトが大きい

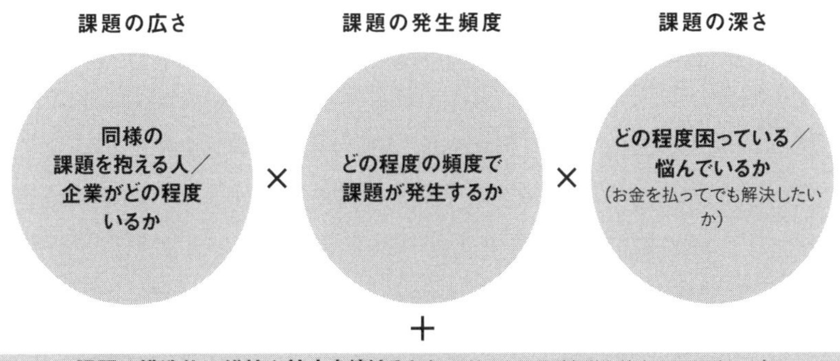

課題の広さ
課題の発生頻度
課題の深さ
同様の課題を抱える人／企業がどの程度いるか
×
どの程度の頻度で課題が発生するか
×
どの程度困っている／悩んでいるか
（お金を払ってでも解決したいか）
＋
課題は構造的に維持や拡大を続けるか（一過性でないか／急激な縮小リスクはないか）

課題の質が高いほど、事業としてのポテンシャルが期待できる
この課題を生んでいる**本質的な要因**を深掘りし、それに対する解決策を検討する

出典：筆者作成

るか」という観点からの評価・検証です。仮に世の中で困っている顧客または企業が多く、その課題の発生頻度が高かったとしても、実際にはそれほど深刻ではなくて解決策が求められていない課題では、対価を支払ってまで解決したいと思ってもらえる可能性は低くなります。事業として収益を上げられるかどうかという点で、非常に重要な観点です。

Define（4）課題の発生構造＝課題は一過性のものではなく構造的に存在・拡大を続けるか

想定している課題が「構造的に存在し拡大を続けるのか（一過性のものではないか）」という重要な観点です。「数年はこの課題に困る人が多いが、10年後はなくなるかもしれない」という課題を対象にしてしまうと、中長期的な事業の成長は見込めないでしょう。

例えば、新型コロナウイルス感染症を防ぐマスクやフェイスシールドなどは、「広さ」「発生頻度」「深さ」の課題を解決する商品として、2020年前半には世界中で需要が急増して供給が追いつかない状態になりました。しかし今後、治療薬が完成し、ワクチンが普及すれば、この課題は急速に縮小する可能性もあり、需要が急速に減退することも十分にあり得ます。

これら4つの観点で総合的に検証し、質の高い課題かどうかを評価・定義（Define）していきます。すべての観点で高い評価が得られる課題が発見できればベストですが、現実的には質の高い課題に対してはすでに競合や代替となる解決策が多数存在している場合も多く、そう簡単にはいかないでしょう。実際に新規事業開発の現場では、2〜3つの観点で評価が高い課題を定義することを目標にするよう、推奨しています。

例えば、課題が、広さはそれほどではなくとも、発生頻度が高く、かつ深い場合にはニッチだが収益性の高い事業として成立する可能性があります。また、現状の課題が狭く深いものであったとしても、発生構造として今後は広さが向上する可能性が高ければ、中長期的には広くて深い課題になることを期待することもできます。課題の深さはそれほどでもなくとも、広く、発生頻度が高ければ、大量の顧客と高頻度で接点を持つことができる可能性があり、その顧客基盤を活用した広告や顧客から得られるデータなどで収益化を狙う事業として展開できる可能性もあります。あくまでもケース・バイ・ケースなので、柔軟かつ総合的に評価・判断する姿勢を心がけましょう。

では、具体的にそれぞれの観点を検証する方法を見ていきましょう。検証したい項目によって適切な検証手法は異なります。どのような手法や手段があるかを理解した上で、前提となる考え方や判断軸に沿って選択していくことが重要です。

まず、Define ⑴ 課題の広さについては、定量アンケート調査や、課題を提起した際のリアクションなどを活用して検証する方法が適しています。例えば、想定している課題を抱える顧客が世の中にどの程度存在するかを把握するために、「ネットリサーチなどを活用して広くアンケート調査を実施する」「想定している課題を提起する情報をSNSなどに投稿し、リアクションの多寡を確認してみる」などです。定量的に課題の広さを推し量るための情報を取得することが有効です。また顧客インタビューをした母数のうちの何割が課題を抱えている、というように出現率や割合から推し測ることもできます。

Define ⑵ 課題の発生頻度でも定量アンケート調査は有効ですが、課題の発生が不定期な場合には顧客インタビューで確認したほうがよいケースもあります。また、顧客自身が自覚して計測できていない場合などは、顧客の行動観察やウェブ上の行動ログといったデータを分析することでも推し量ることができます。

Define ⑶ 課題の深さ／深刻さについては、前述の顧客インタビューや行動観察などの定性調査を、想定する顧客セグメントに対して実施する方法が有効です。重要なのは課題の有無の確認だけでなく、「その課題がどの程度深刻なのか」「どの程度なら対価を払ってでも解決したいのか」「その課題に対して顧客が現在どのように向き合っているのか」を確認・検証することです。

- 特に何もしていない／放置している／諦めている
- その課題を解決するために何らかの労力や時間を費やしている
- 別の代替策にコストを支払うことによって暫定的に対処している
- 代替策による暫定対応でも満足・解決せず、より良い解決策を積極的に探している
- より良い解決策に対して、○円までなら払ってもよい／払いたいと考えている

以上のようにさまざまな課題への向き合い方や程度があり、「お金を払ってでも解決したい」まで行き着けば顧客の課題は深く、悩みや困り事が深刻であることが考えられます。「既存の商品やサービスなどの代替策で、その課題が解決できていない理由が何か」を明らかにすることも重要で、これも確認・検証が必要です。

Define（4）課題の発生構造については、顧客への直接の調査よりも、顧客を取り巻く環境や生活する社会など、よりマクロな視点から捉える必要があります。第4章で紹介したPESTLE分析や産業構造・市場トレンド分析などを活用することで、中長期的に課題がどう変化し得るかを検証・確認するアプローチが有効です。

いずれにしても、発見した課題の質が高く、解決した際にインパクトが大きい課題かどうかの検証を進めることが、まずは最も重要な観点になります。

・検証すべき仮説にフォーカスしているか？

仮説を検証するためにさまざまな調査やインタビューを実施するのは、それなりの時間や稼働がかかり、リソースの投下が不可欠です。新規事業開発という仮説だらけの課題を限られた時間とリソースで検証しなければならないプロジェクトでは、すべてを満遍なく検証するのではなく、優先度が高い仮説にフォーカスして進める必要があります。

図表 顧客と課題の仮説検証における優先順位の考え方

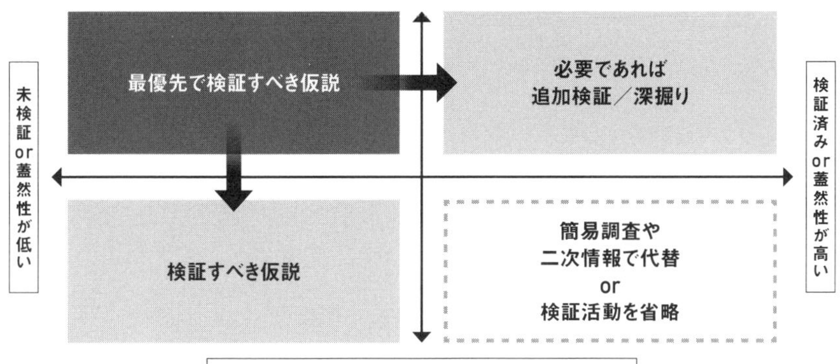

出典：筆者作成

優先的に検証すべき仮説はどのように判別するのが適切でしょうか。上の図表をご覧ください。

この図表のマトリクスは、その仮説が立証できずに棄却された場合に、プロジェクトに及ぼす影響がどの程度かを表す縦軸と、その仮説の現時点における蓋然性（確からしさ）がどの程度あるか、どの程度未知数な仮説なのかを表す横軸で構成されています。

縦軸は、棄却された場合に影響が大きい仮説が上方に、小さい仮説は下方に分類されます。棄却されて影響が大きい仮説とは、例えばさまざまな他の仮説を支える土台になっている大本の仮説であり、それが崩れてしまうと他の仮説もすべて崩れてしまうような仮説や、新規事業を検討する上で重要な要素を持つ仮説を指します。

こうした優先順位の考え方はあらゆる仮説検証活動に通ずるものですが、このプロセスでは「顧客と課題」の質が高いかどうかが最も重要なので、課題の質に関する各要素に関係する仮説は影響が大きいといえるでしょう。

横軸は、蓋然性が高いものは右方、低いものは左方に分類されます。すでにあらゆる調査や検証活動によって明らかになっていることや、いうまでもなく自明である事実や常識、明確な客観的事実に基づく推測などは、「蓋然性が高い仮説」に分類されます。一方、根拠が少ない推測や、主観に基づく仮説などは、「蓋然性が低い仮説」に分類されます。

この考え方に従って現状の仮説を分類していった結果、左上の象限に分類される「影響が大きいもので、かつ蓋然性が低い（不確かな）仮説」を最優先で検証していくことが重要になります。

・検証に必要なサンプル数は確保できているか?

優先的に検証すべき仮説を設定した後は、いよいよ実際に検証活動を進めていきます。その際、採用する手法によっては「最低限の精度」を担保するために必要なサンプル数を意識する必要があります。サンプル数が不足していると検証活動は統計上の有意性が低くなり、誤った判断や結論を導いてしまうリスクが生じます。

新規事業開発の初期段階で多くの予算や人員を投じて調査を実施するのは得策ではないと指摘してきました。ただ、サンプル数が明らかに不足した状態での検証活動では正しく仮説を検証することはできないため、なるべくコストをかけずスピーディーに検証活動を行う必要があります。最終的には、かかるコストや時間とのバランスを見て判断します。

例えば、アンケート調査などの定量調査では、可能なら100サンプル以上の確保が望ましいでしょう。どうしても特殊な顧客セグメントを対象にしているためサンプル数の確保が難しい場合でも、なんとか50サンプル以上は確保することを推奨しています。また、顧客インタビューや顧客の行動観察などの定性調査に関しては、特定顧客セグメント内で最低でも5サンプル以上は確保することをおすすめしています。

・顧客セグメントの設定は適切か？

顧客セグメントの設定は非常に重要です。しかし、実際の新規事業開発の現場では、この顧客セグメントを適切に設定できていないケースをよく見かけます。

そもそも顧客セグメントとは、不特定多数の顧客を似通ったニーズや属性的特徴を持つグループに分類したものです。この分類が抽象的で広すぎると特徴が見えにくく、深い課題を発見するための洞察が発揮できなくなります。顧客セグメントが明確で具体的に絞り込まれているほど、深い洞察によって課題を発見しやすく、独自性のある価値を提供することで顧客の課題解決に深く突き刺さる尖った製品やサービスを開発しやすくなります。

大きな事業を生み出そうとするほど、顧客セグメントを広く設定したくなる心理が働いてしまいがちですが、新規事業開発を通じて革新的な事業やサービスを生み出そうとする場合には、思い切って顧客セグメントを絞り込むことが重要です。顧客セグメントを絞り込むことは、「その顧客にしかプロダクトを提供しない＝その顧客にしか利用してもらえない」ということではありません。あくまでも、そのプロダクトが広く普及していくために重要な存在となる「良質な初期顧客」が誰かを模索し、その顧客に対して徹底的に付加価値の高いプロダクトを提供していくためのものなのです。

良質な初期顧客セグメントに刺さる商品やサービスが提供できれば、そこから他の顧客層にも広がり、大きな事業として成長させられる可能性が出てきます。

今では世界最大のSNSとなったFacebookも、最初は大学内の交流に特化したSNSとしてスタートしたことはあまりにも有名な話です。この世に「もしも」はありませんが、もしも最初から全世界の人をターゲットにしたSNSを目指していたら、現在のフェイスブックの躍進はなかったのではないかと思います。

では、どのようにして顧客セグメントを設定すべきでしょうか。セグメントを設定するための軸（変数）としては、大きく分けて下記の4つがあります。

①デモグラフィック変数（人口動態変数）

例えば一般消費者であれば、年齢、性別、家族構成、所得水準、職業、学歴など。法人であれば、業界、業種、売上規模、従業員数、企業形態、部署、役職などの基本的な属性情報によって顧客を分類するための変数です。

②ジオグラフィック変数（地理的変数）

国、地方、気候、人口密度、都市化の進展度、顧客の行動範囲などの情報によって顧客を分類するための変数です。都市と地方で大きく顧客の課題や動向などが異なる可能性が高い事業や、グローバル展開を見据えている事業などにおいては重要度が高くなる変数です。これも①と同様に比較的データが入手しやすい変数といえます。

③サイコグラフィック変数（心理的変数）

例えば一般消費者であれば、顧客の価値観やライフスタイル、パーソナリティー、志向性、嗜好性、社会的階層などです。法人の場合は、企業としての文化、風土、価値観、経営者の思想、哲学、経営スタイルなどによって顧客を分類するための変数です。価値観が多様化している現代では、顧客の課題や動向に違いが出やすくなっており、ますます重要視されるようになってきています。①②と比較すると、外部からわかる情報や簡単なリサーチでは把握することが難しい変数であり、顧客と直接接点を持って対話や観察を行うことの重要度が高くなります。

④ビヘイビア（行動的変数）

プロダクトに対する行動や態度などで顧客を分類するための変数です。例えば、過去の購買履歴や行動履歴、利用頻度や購買頻度などの実際の顧客の行動や購買に関する情報などが該当します。IT化が進んだ現在は、このような情報やデータが蓄積・分析しやすくなり、③と同様に重要度が高くなってきた変数といえます。

図表　顧客セグメントを検討するマトリクスのイメージ

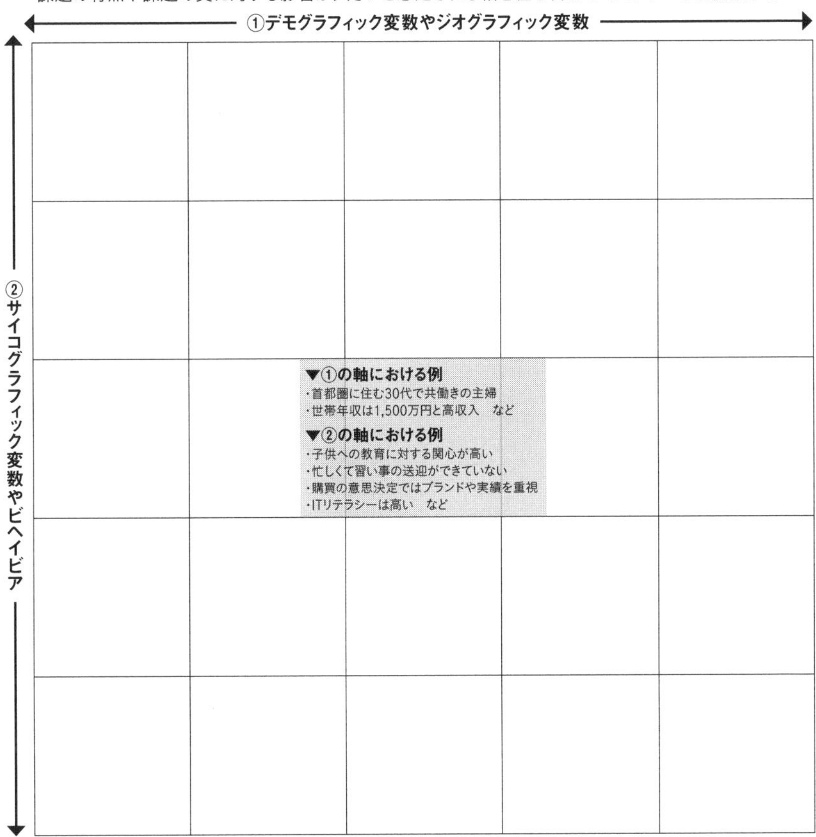

課題の有無や課題の質に対する影響が大きいと想定される軸を組み合わせてセグメントを模索する
①デモグラフィック変数やジオグラフィック変数
②サイコグラフィック変数やビヘイビア
▼①の軸における例
・首都圏に住む30代で共働きの主婦
・世帯年収は1,500万円と高収入　など
▼②の軸における例
・子供への教育に対する関心が高い
・忙しくて習い事の送迎ができていない
・購買の意思決定ではブランドや実績を重視
・ITリテラシーは高い　など

出典：筆者作成

これら4つの変数から、良い顧客セグメントを設定する際には3つのコツがあります。

- **想定している課題の質に影響が出そうな変数を用いること**
- **①②のような基本情報や属性情報に関する変数と、③④のような心理的もしくは行動的な特徴や側面を捉えた変数を組み合わせてマトリクス**

を組むこと

- **マトリクスを組む際は、2つの変数の相関関係がない、または弱いものを組み合わせること**

これにより、双方の観点を網羅した具体的で明確な顧客セグメントの設定が行えます。

例えば、生鮮食品や日用品をネット通販で販売するEC・ネットスーパー領域の事業へ参入を検討するとしましょう。この際に、20代の独身女性と、30代の既婚で子供がいる共働きの主婦の女性と、40代の既婚で子供がいる専業主婦の女性とでは、顧客としての課題や動向に違いが出るのではないかと考えるのが属性情報による変数です。

しかし、これだけではセグメントの変数による絞り込みが弱いので、心理的・行動的な特徴や傾向も変数として組み合わせることで、より具体的で独自性のある顧客セグメントの設定を目指していきます。例えば、スマートフォンを所有していて積極的に日常生活で使っているかどうか。価格重視か品質重視か。毎日スーパーを訪れて買い物自体を楽しんでいるタイプなのか、それとも週に1～2回ほど訪れて効率的にまとめ買いしたいタイプなのか。特売のチラシを見て行くお店を決めるタイプなのか、気に入ったお店にずっと通い続けるタイプなのか——。こうした変数によって顧客の課題や動向に違いが出るのではないかと考えるのです。より良いセグメントの定義が見つかれば、アップデートしていく前提で、まずは仮でもよいので決めてしまうことが重要です。

- **想定すべき顧客は網羅できているか?**

仮説によっては、複数の顧客を想定しなければならないケースもあります。例えば、課題を抱えているのが子供だとして、それを解決する購買や投資を意思決定する権限や予算、裁量を持つのが親である時は、親の立場で考えた場合の課題を捉えなければなりません。また、売り手と買い手の双方が課題を抱えているケースもあります。

法人における課題も、現場の担当者が抱える課題と、マネジメント層や経営層が抱える課題が異なる可能性もあります。これを考慮せずに単一の顧客の立場からしか課題を捉えられていない場合、大きな見落としをしてしまうリスクがあります。

・検証結果の判断基準はどう考えるか?

最後に、検証した結果をどのように捉えて判断するかの基準について考えましょう。発見した「課題の有無」や「課題の質」を検証するため、さまざまな検証活動を実行していきますが、結果としてどのような状態になれば課題があると判断するべきか、どのような状態になれば課題の質が高いと判断するべきかの基準が必要になります。この基準をどう設定するかによって、検証結果を踏まえた今後の検討や推進の方向性が変わってきます。

なお、判断基準にも正解はありません。ただ、あらかじめ考え方を整理しておき、プロジェクトチームの事業リーダーやメンバー、そして進捗を評価・判断する事務局や上司などの評価者との間で擦り合わせておくことが重要です。

＜課題の有無を判断する基準＞

前述の顧客セグメントが適切に設定できている前提に立てば、セグメント内において想定している課題が存在するか否かという判断は、その特定のセグメント内におけるサンプルの過半数が課題を抱えている状態、例えば5サンプルに対して3サンプル以上は課題を抱えている状態を最低限として、それを下回る場合は少なくともそのセグメント内においては課題がない、少ないと判断するほうが無難です。アーリーアダプターと想定される筋の良い顧客セグメントを設定した上で、そのセグメント内において過半数にも達しない課題は、ターゲットを広げたとしても同様に課題がない、少ないとなる可能性が高いからです。その場合は、課題の仮説自体を変更するか、顧客セグメントを変更するかのどちらかの対応を取ることによって、蓋然性の高い顧客と課題のセットを探索することになります。

＜課題の質を判断する基準＞

課題の質に関しては、課題の有無と比較すると、「広さ」「発生頻度」「深さ」「発生構造」という複数の観点が影響するため総合的な判断が必要になります。少なくとも2〜3の観点においては質が高い課題に焦点を当てるべきという話は前述の通りですが、この該当する観点においての判断基準だけでも明確にしておくことをおすすめします。

例えば、課題の広さと発生頻度を重視する事業を検討している場合は、同様の課題を抱えている顧客のポテンシャルが1,000万人以上はいないと厳しい、もしくは少なくとも週1回以上は発生する課題でないと成立しない。課題の深さを重視する事業を検討している場合は、代替策による暫定対応でも満足・解決せず、より良い解決策を積極的に探しているような深い課題でないとよしとしない。課題の発生構造においては、一過性のものや、今後構造的に縮小していく可能性が高い課題は対象としない。といった具合に、それぞれの観点において、検討している新規事業の内容や性質に合わせて判断基準を設定し、認識を合わせていくのです。

以上のように②Defineのプロセスでは、①Insightで発見した課題の仮説に対して検証活動を精査することで、蓋然性が高い事実として定義していきます。2つのプロセスを通じて、

・誰が（顧客セグメント）
・いつ、どんな時に（用途や場面）
・どんな課題を感じ、抱えているのか（課題の詳細や構造）

の仮説を立てます。その上で、

・その課題は確かに存在するのか（課題の有無）
・その課題は取り組む意義のあるものなのか（課題の質）

を、検証して明確にすることが、7つの検証項目のA)「顧客と課題」(Customer & Problem) で目指すべきゴールです。

進捗や成果を評価・管理する場合は、あくまでもこのゴールに対しての達成度合いを見るべきです。この時点で事業性や収益性の算段、精緻な事業計画を求めてしまうと、あらゆる新規事業開発の可能性や芽を潰してしまうので絶対にするべきではありません。IRMの実践主体も、上記のゴールに向けてプロジェクトチームがぶつかっている壁を乗り越えられるよう、適切に支援していく必要があります。

Ⅱ・「提供価値と解決策」を起点に検討する方法

これまで「顧客と課題」を起点に検討する方法について解説してきましたが、ここでは「提供価値と解決策(製品やサービス)」を起点に事業構想を検討していく方法とその違いについて解説します。これは、主に「アセットドリブン(自社のアセットを活用する)」や「ビジョンドリブン(目指したい理想の姿を描く)」の事業構想アプローチを採用する場合に必要

図表 構想の起点による事業開発プロセスの違い

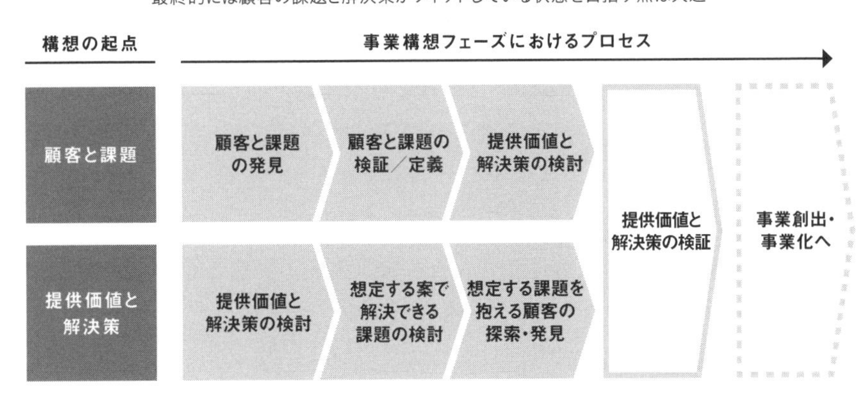

出典:筆者作成

となる検討方法です。「顧客と課題」を起点に完投する場合との要点やプロセスの違い、注意点について述べていきます。

このアプローチではまず、「社内で保有するアセット（経営資源）やテクノロジー（技術・知財）がどのような優位性や独自性を持っているか」を正確に把握することから始めます。それらのアセットやテクノロジーをどのように活用すれば「独自の提供価値や機能・サービス（ソリューション）を生み出すことができるか」を検討し、「この提供価値やソリューションを用いれば、こんな課題を解決できるのではないか」という仮説を構築していきます。その上で、想定する課題を抱えている顧客像・顧客セグメントを探索します。

アセットやテクノロジーを活用して解決し得る課題がすぐ発見できる場合はよいのですが、簡単にはなかなか見つからないのが実情です。この場合、テクノロジーが解決できる課題と、課題を抱える顧客を見つけることに多くの時間やリソースを費やしてしまう可能性もあります。どれだけ探索を続けても、結果として解決できる課題と顧客が見つからないことも往々にしてあります。アイデアの事業化は断念を余儀なくされ、別のソリューションを検討するか、活用するアセットやテクノロジーを見直すことになります。

自社のアセットやテクノロジー起点で事業構想を始める「アセットドリブン」アプローチは、考え出すソリューションに「自社が提供する意義がある」「独自性や優位性がある」「自社だけで実現可能」といった特性を持たせやすい一方で、「顧客からまったく求められていない」といったソリューションを開発してしまうリスクが高まります。「アセットドリブン」で取り組んだ新規事業開発は、そのプロダクトアウト的な発想が「消費者ニーズを理解していない」と過去には何度も揶揄の対象となりました。「市場や顧客の課題や需要を無視した古いアプローチ」として、マーケットイン的な発想こそが正しいという説が主流になりつつあるのも事実です。

しかし、本質を捉えるならば、新規事業開発におけるアプローチはそれ自体の「点」だけで判断されるものではなく、インキュベーション戦略における位置づけやイノベーター人材のタイプや狙う事業領域・テーマなどのさまざまな要素をつなげて、「線」や「面」にして初めて判断されるべきものと筆者は考えています。「自社内にあるアセットやテクノロジーから発想した新しいソリューションが解決できる課題は何か」「その課題を抱えているのは誰か」を丁寧に探索して検証を徹底するプロセスさえしっかり行えれば、十分に有効なアプローチになり得ます。問題なのは、新しいソリューションが解決できる課題と顧客の検証を疎かにして、顧客が存在しない新製品や新サービスを、無理やり具現化してしまうことです。

優位性のあるアセットやテクノロジーを保有する企業は、市場や顧客の課題やニーズの探索にさえ成功すれば、その後は市場で優位性や独自性のあるポジションを築きやすく、継続的に事業を拡大しやすいメリットもあります。実際に、このアプローチを通じて新規事業開発に成功している企業も多く存在しています。

最終的には、「顧客の課題があり、それを解決するソリューションが自社で提供でき、かつそれに独自性や優位性がある状態」を創り出すことを目指して、さまざまな検証を通じて不確実性をコントロールしながら進捗させることこそが重要です。そこに至るアプローチは多様な解があってしかるべきだと筆者は考えています。

7つの検証項目 B)「提供価値と解決策」(Value＆Solution)

顧客と課題の検証を終えたら、新規事業開発における7つの検証項目のB)「提供価値と解決策」(Value & Solution)で、課題を解決するための提供価値や解決策の検証へと進みます。

この検証活動には大きく2つのプロセスがあります。1つは課題を解決するための提供価値や解決策の仮説を構築する「③Ideation」、もう1つは③Ideationプロセスを経て構築した提供価値や解決策の仮説を検証することで、顧客に受け入れられ、かつ課題を解決できるプロダクトの要件を明確にする「④Prototyping」です。それぞれについての論点や、検討を進める際の注意点などについて解説します。

③Ideation～定義した課題を解決するアイデアを検討する

定義した顧客の課題を解決するためには、まずはその課題に対して提供する価値を検討する必要があります。提供価値の方向性を決めた後に、その提供価値を実現するための具体的な解決策（ソリューション）となる商品やサービス、機能を検討してさまざまなアイデアや仮説を出します。最後に、自社がそのソリューション提供に取り組む意義や、ソリューションが他の代替サービスや競合サービスと比較した際の独自性や優位性を生むために自社のアセットが活用できるかどうか、という観点で絞り込みます。

Ideation（1）提供価値の方向性を決める（前提条件や方向性の整理）
Ideation（2）提供価値を実現するソリューションを幅出しする（発散）
Ideation（3）自社が取り組む意義や独自性・優位性を生むアセットの観点で絞り込む（集約／収束）
Ideation（4）継続的に収益が上がる仕組み＝ビジネスモデルの仮説を構築する（昇華）

このように、Ideationプロセスは4つのステップを通じて検討を進めていきます。

Ideation（1）提供価値の方向性を決める

課題を解決するための提供価値は、基本的には課題の裏返しです。顧客や課題が具体的であるほど、提供価値も具体的に考えることができます。この具体性が高い状態を筆者は「解像度が高い」と表現しています。課題の解像度が低いと、裏返しである提供価値も解像度が低くなってしまい、その後の具体的なソリューションの検討につながりにくい状況を発生させます。その場合には顧客と課題の解像度を上げることに「立ち戻る」ことが必要で、大切なのはソリューションの検討につながる解像度で提供価値の方向性を決めることです。

例えば、「老後2,000万円問題による、老後資金の準備に関して不安を抱えている」という課題を定義している場合、その裏返しとなる提供価値は「老後の資金の準備に関する不安を解消し、安心できる状態にする」「老後2,000万円問題そのものを防げるような社会や制度を実現する」です。ただ、これでは課題の解像度が低いがゆえに提供価値の解像度も低い状態になってしまい、この提供価値を実現するソリューションを検討する際に前提条件や方向性が定まらなくなり、なかなかスムーズに検討を進められません。

一方で、「老後資金の準備において、貯蓄だけでは無理と判断して中長期での資産形成のために投資商品を検討しているが、自分の現在の状況を鑑みてどのような投資商品に対していくら投資するべきなのかがわからない」など、課題をより具体的に定義できた解像度が高い状態では、「自分の現在の状況に応じた最適な投資商品がわかるようにする」「投資のプロと簡単につながり、気軽に相談できるようにする」「中立的な立場で安心できる提案を受けられる場を作る」のように、解像度の高い提供価値を検討することが可能です。

Ideation(2)提供価値を実現するソリューションを幅出しする

課題のソリューション（解決策）となるサービスや商品を検討する際は、それを実現するための具体的なサービスや機能について網羅的に検討していく「幅出し」を実行していきます。まさにIdeationと呼ぶのに相応しいプロセスで、具体的なアイデアを数多く検討していくことになります。

例えば、前述の例で設定した「顧客の現在の資産状況に応じた最適な投資商品がわかるようにする」という提供価値を実現するソリューションとして、「パターン別の投資商品の検討・判断基準などが網羅されている情報サイト」「自分の資産形成状況を入力すると自動的にポートフォリオが可視化され不足しているものがわかるサービス」「入力した内容に応じて適した投資商品が自動でレコメンド（推薦）されるサービス」を提供するというように、ソリューションの可能性は多種多様に考えられます。ありとあらゆるソリューションの可能性を検討した上で、いくつかの筋のよいものに絞り込んでいくことで、検討や考慮の漏れを防ぎつつ、ソリューションの質を高められます。

この③Ideationプロセスでソリューションの幅出しを行うには「アイデア発想力」が論点となります。どうすればアイデア発想力を高められ、より多くのアイデアを生み出し、質の高いアイデアへと昇華していくことができるのでしょうか。筆者は以下の（ア）～（ウ）の3つのアプローチがあると考えています。

(ア)アイデア発想の基になる情報や知識、知見を蓄積する

このアプローチは最もシンプルかつ有効なものです。アイデア発想に関する書籍として有名な『アイデアのつくり方』の中で、著者の米実業家ジェームス・W・ヤング氏は「アイデアとは既存の要素の新しい組み合わせ以外の何ものでもない」と指摘しています。またアイデアに関連して、イノベーションという言葉でも経済学者のシュンペーターは「新結合」と定義しています。

アイデア発想力というと「ゼロからイチを生み出す」というイメージを持たれがちですが、実際はすでに存在するものや、自分がこれまで生きてきた中で培ってきた経験、そこから得られた情報、知識、知見など、自分の頭の中にあるものを組み合わせることでアイデアは生まれてきます。自分の中にストックされているものが多ければ多いほど、新たな組み合わせによって新しいアイデアが生まれやすくなり、ストックが少ない状態ではどうしてもアイデアの発想は乏しくなります。数多くの事業やサービスを経験してきている人ほどアイデア発想力に長けているのはこのためです。

自分の中にあるストックを増やすため、日頃からさまざまな情報に触れ

ながらアイデアのネタをためておく（インプットする）ことです。自分が主戦場とする業界だけでなく、幅広く世の中でうまくいっている事業やサービスを研究し、課題に対する提供価値やソリューションの機能、ビジネスモデルのパターンなどを研究して理解すること、競合や類似・代替品についてベンチマーク調査を行うなど研鑽を積み重ねておくことで、アイデア発想力の基礎を築くことができます。

(イ)アイデア発想のための手法やフレームワークを活用する

これは、自分の中に蓄積されている知識や知見、経験を活かして具体的なアイデアへと昇華する考え方や手法、フレームワークなどの活用を指します。例えば、競合や代替品になり得るプロダクトやサービスを比較検討する中で、他社がまだ提供できていない価値やソリューションを提供することで独自性のあるアイデアを生み出そうとするアプローチがあります。その際の注意点は、プロダクトやソリューションそのものの類似性だけで

図表 競合や代替品との比較から独自のアイデアを発想するアプローチ

・競合となるプロダクト／サービスを参考にしながら、解決方法を検討する
・競合に対して差別化できる点を検討し、独自の解決策を探る

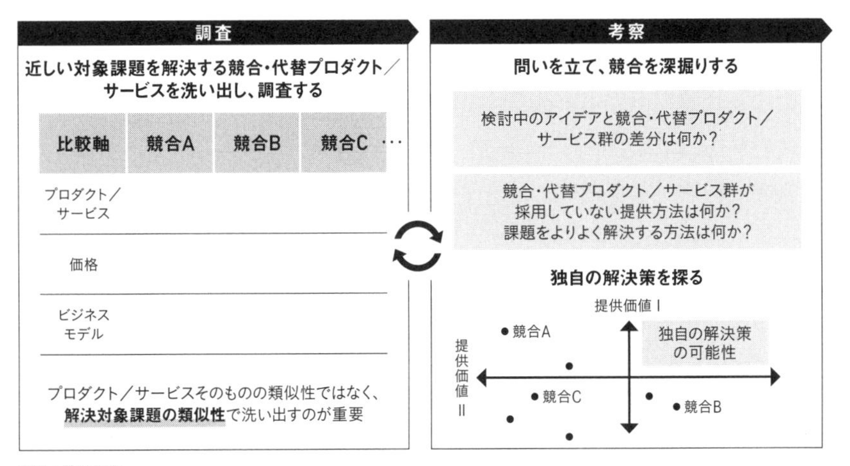

出典：筆者作成

なく、「提供する価値や解決する課題が同一または類似」なものも検討すべきだということです。例えば、アミューズメント・娯楽産業の競合や代替品として、スマートフォンのアプリゲームやソーシャルゲームなどがあります。一見、まったく別の産業のようでいて、余暇時間の娯楽や暇つぶしという観点では、非常に近い価値提供や課題解決を提供しているからです。

(ウ)集合知を活用する

自分一人で考えるのではなく、他の人や組織などの知恵を借りることでアイデアを発想するアプローチです。ブレインストーミング(ブレスト)や、第3章で解説した新規事業創出プログラムや社内ベンチャー制度、ビジネスコンテストなどのアイデア公募型プログラムなども集合知を活用する例でしょう。新たな事業アイデアを広く社外からも公募するオープンイノベーションの一環としてのアクセラレーションプログラムやハッカソン・アイデアソンなどもあります。

この集合知の活用がアイデア発想の有効なアプローチであることは間違いないのですが、筆者はこれまでの経験から「集合知に期待しすぎない」ことも重要だと考えています。ブレストでいえば、参加者の能力や経験、前提となる知識や知見、事業に対する意思やコミットメントには差があります。ブレスト参加メンバーの人数や各人の性質・能力、アジェンダや議論の前提など、いくつかの条件がそろわないと有意義な結果にならないケースが多いのです。

徹底的にその事業について考え抜いているイノベーター人材や事業リーダーを上回る優れたアイデアが、他者とのブレストから生まれたという事例を筆者は一度も経験したことがありません。いずれもアイデアを発散させて「量」を出すことは期待できても、「質」の面では絞り込みの段階でふるい落とされることが多く、実際に採用されるものが少ない点は念頭に置いておくべきです。

Ideation(3)自社が取り組む意義や独自性・優位性を生むアセットの観点で絞り込む

これまでのプロセスで定義した「顧客と課題」と、提供価値やソリューションのアイデアが組み合わさると、事業アイデアの大枠ができあがっていきます。この事業アイデアの骨子の段階で、筋がよさそうないくつかのオプションに絞り込んだ上で、次のプロセスである④Prototyping（アイデアを試作品にして有効性をテストする）を通じた検証を進めます。

これは、幅出ししたソリューションのアイデアを、「実際に自社が取り組む意義が強いかどうか」「独自性や優位性を生むための源泉となるアセットを自社が保有しているか」という観点から絞り込んでいく検証作業です。

マーケットドリブンのアプローチを中心に「顧客と課題」から構想を練っていくプロセスで事業開発を進めていくと、遅かれ早かれこの論点に行き着きます。あくまでも顧客起点で検討するため、自社が提供する意義や、独自性や優位性がないソリューションを検討してしまうリスクがあるのです。

筆者が多くの企業から新規事業開発に関する相談を受けてきた中でも、近年主流となりつつある顧客起点での事業開発に取り組む企業では、このようなケースも多く見られます。そして、なかなか事業化に至らず、事業化しても期待していた成長が実現できていないのが実情です。

企業内の新規事業開発では、自社で取り組む意義や独自性・優位性がない事業、その独自性や優位性を構築する際に自社のアセットが活かされていない事業には取り組むべきではありません。独自性や優位性がない事業は継続的に成長して利益を上げ続けることが不可能で、自社のアセットが活かせない事業はスタートアップ・ベンチャー企業や競合他社と競争になった際に明らかに分が悪いからです。

そこで、ソリューションを検討して絞り込む段階から、次の（ア）〜（エ）の4つの観点を意識しながら進める必要があります。

さらに事業開発プロセスが進み、実際に商用版プロダクトなどが世に出てしまった後では、大きな方向転換や後戻りは困難です。そうなる前に、筆者としてはこの段階で取り組むことを推奨しています。

(ア)この課題やソリューションに自社が取り組む意義はあるのか?

この観点は、「全社ビジョンやインキュベーション戦略との整合性があるかどうか」「自社が独自性や優位性を発揮して、継続的に利益が上げられる事業を実現できる可能性があるかどうか」の、2つの基準で判断します。基本的には自社のビジョンやインキュベーション戦略と方向性が合致しており、事業ポートフォリオに組み込まれて違和感がないかを注視する必要があります。後者の観点については後述します。

(イ)ソリューションを提供した場合に、自社の独自性や優位性は構築できるのか?

この観点では、自社がそのソリューションに取り組んだ際に「競合や類似・代替となるソリューションと比較して選ばれる理由が明確に存在しそうか」「独自性や優位性のある提供価値やポジショニングを実現できそうか」を検討します。独自性や優位性を作るパターンとしては、大きく次の3つがあります。

1つ目は、課題そのものに独自性があるパターンです。これは、まだ誰も発見・注目していない課題にフォーカスしていると想定される場合です。他に競合や代替品が存在しないため、最初に課題解決に取り組んだパイオニアとして先行者利益を得られる可能性があります。ただし、本当にまだ誰も気づいていない課題なのか、それとも何らかの理由があって気づいていながら放置されているのか、諦められているのかは慎重に判断しなければなりません。競合がいないからといって参入した事業が、競合もいない代わりに市場もありませんでした、という失敗はよくある話です。また、「別の産業や業界に強力な代替品があった」というケースも多いので、近視眼的に同業他社だけを視野に入れるのではなく、あくまでも同一の顧客課題を解決し得るあらゆるものに目を向ける必要があります。

図表 構想やアイデアにおける独自性の考え方

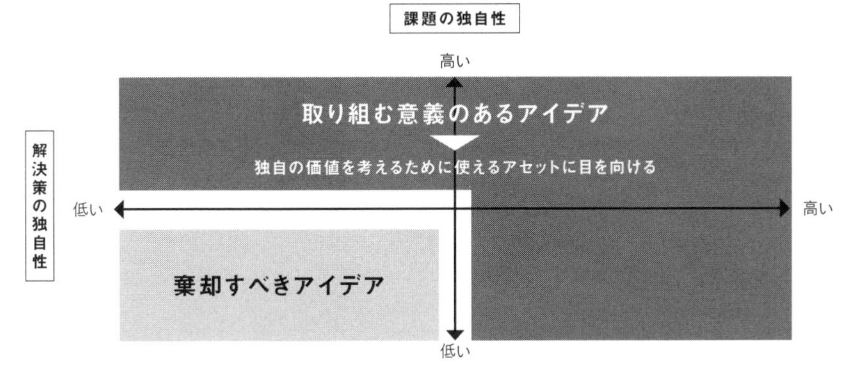

出典：筆者作成

図表 構想やアイデアのチェックフロー

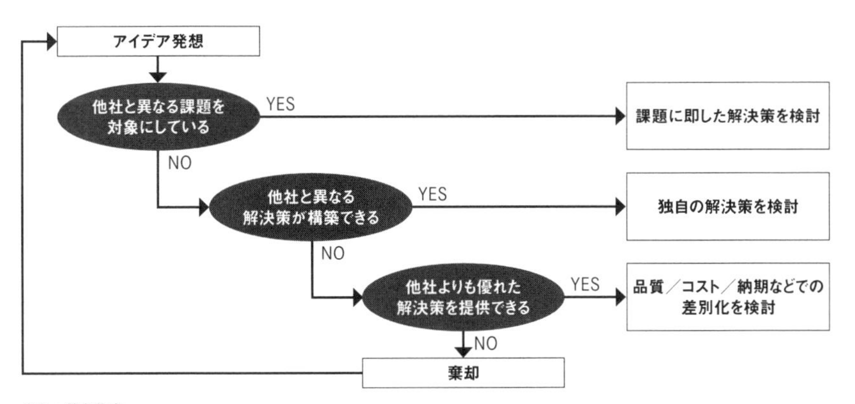

出典：筆者作成

2つ目は、課題に独自性があり、かつソリューションにも独自性や優位性があるパターンです。これは、まだ誰も発見・注目していない課題にフォーカスし、かつ他社の競合や代替品が将来に台頭・増加してきても優位性を発揮できるよう、ソリューション自体にも独自性や優位性を組み込んでいる場合です。実現するのが難しい反面、独自性や優位性が強く、継続しやすいパターンといえます。ただし、未知の課題に対して、未知のソリューションを組み合わせるため、新規性が高くなり顧客が価値を理解しづらいものになってしまうリスクもあります。

3つ目は、課題には独自性がないものの、ソリューションには独自性や優位性があるパターンです。自明の課題を対象にしていたり、すでに先行する他社のソリューションを見て顧客の課題が確認できており、既存のソリューションの課題や改善点などを踏まえた優位性のあるソリューションを独自に提供する場合などが該当します。顧客と課題が明確になっている分リスクは低い反面、顧客から選ばれる理由になる独自性や優位性を実現できなかった場合は、価格競争に巻き込まれる、利益が出ない、シェアが取れないなどの懸念も生まれます。

少なくとも、いずれかのパターンで独自性や優位性を発揮できる見込みがあるかどうかを検討し、取り組む意義についての判断に活かしていきます。

(ウ)独自性や優位性の構築にあたり自社のアセットは活かせるのか?

この観点では、検討した独自性や優位性を実現するために、自社のアセットが活かせるかどうかを検討します。当初は独自性や優位性があった事業も、他社の参入や模倣によって、時間が経つにつれてそれらが失われてしまうリスクは大いに存在します。中長期的に独自性や優位性を維持するためには、その源泉が自社の強いアセットとひもづいている必要があります。つまり、「自社の◯◯というアセットが活かせるからこそ、この独自性や優位性が実現できる」という状態を作るのです。

(エ)活かせるアセットは、他社が入手困難で、かつ自社で十分に利用できるものか？

最後に、独自性や優位性を生む源泉として活用するアセットが、他社では入手困難で、自社なら十分に活用しやすいものかどうか、という観点で検討します。仮に自社のアセットが活用できても、他社が資金力にモノをいわせて多大な資金を投じれば短期間で容易に入手できるようなアセットの場合は、すぐに独自性や優位性を失います。

一方で、特許などの知的財産や、長年蓄積してきたナレッジやノウハウ、育成してきた人材や組織風土・文化などは他社が資金を投じても入手困難なもので、かつ比較的事業リーダーの裁量や権限において活用しやすいものの筆頭でしょう。他社にとって入手困難であり、かつ自社にとって利用容易性が高いアセットを独自性や優位性の源泉とすることで、中長期的に独自性や優位性を維持できる事業アイデアを生み出す可能性が高まります。

図表　活用するアセットにおける優先順位の考え方

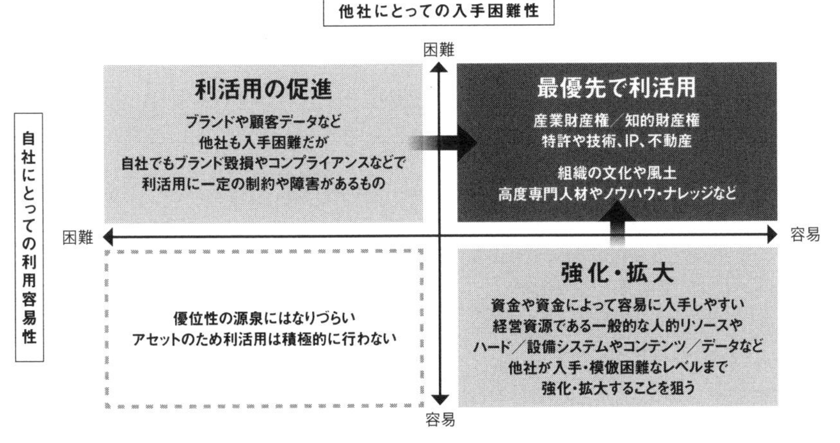

出典：筆者作成

Ideation(4)継続的に収益が上がる仕組み＝ビジネスモデルの仮説を構築する

ソリューションを検証して絞り込んだ後は、そのソリューションのサービスや機能を提供することで継続的に収益が上がる仕組み＝「ビジネスモデルの仮説」を構築します。企業が新規事業として取り組む以上、ソリューションを提供して顧客の課題を解決できても、それに対する対価が支払われない、支払ってもらってもソリューションの提供コストが大きすぎる、では利益を上げることができません。

ビジネスモデルには実に多様なパターンがあり、不確実性がいまだ高い段階では精度の高いビジネスモデルを設計することは困難です。実際に進める中でビジネスモデルの変更が必要になることも多々あります。しかし、この段階でソリューションのアイデアをビジネスモデルの仮説に昇華しておくことで、後のプロセスにおいてそのビジネスモデルが成立し得るのかという観点で検証できるため、できればこの時点でビジネスモデルの仮説を構築しておくことを推奨しています。

ビジネスモデルの骨格は、これまでに検討してきた「顧客と課題」「提供価値と解決策」の情報があれば十分に設計が可能です。その事業に関係する登場人物を列挙した上で、顧客は誰で、その顧客はどんな課題を抱えていて、その課題解決のためにどんな提供価値や解決策を提供し、誰から、どのような形で、対価としての金銭（＝売上）を受け取り、収益を上げるのかを整理することでビジネスモデルの概観が完成します。このビジネスモデルの仮説を構築した上で、一連の流れを循環させて不確実性の高い部分を明確にしておくことが、事業として成立させるためには重要になります。

ここまでが、「顧客と課題」の検証後に「提供価値と解決策＝ソリューション」の検討に着手する「③Ideation」の進め方の基本です。検討した提供価値とソリューションの案を基に、具体的なサービスや機能としてどのようなものが必要か、そのサービスや機能を提供することで、誰から、どのように、いくらの対価を支払ってもらって収益を上げるかという「ビジネスモデル」の仮説までに落とし込んだ上で、次のプロセスである「④Prototyping」へと移行します。

④Prototyping～アイデアを試作品にして有効性をテストする

次のプロセスは、アイデアを試作品にして有効性をテストする「④Prototyping」です。「③Ideation」のプロセスを通じて検討した提供価値とソリューションの仮説を検証していきます。

どんなに検討に検討を重ねて、素晴らしいと確信していたアイデアも、実際に顧客に提供した際に、課題の解決に至らない、顧客から求められない＝顧客の受容性がないという事態は、新規事業開発の現場では日常茶飯事です。せっかく多額の投資をして創り上げたプロダクトが、まったく使われない、売れないという事態を避けるためにも、自分たちが検討したソリューションが本当に顧客に求められ、顧客の課題を解決できるか、想定していたビジネスモデルの仮説が成立し得るのかを、本格的なプロダクト開発への投資に踏み出す前に検証しておく必要があります。

アイデアは、顧客に受け入れられ、課題を解決して初めて価値を生むものです。検証する前の段階で、どんなに斬新で画期的に見えるアイデアであろうと、検証や実際の顧客への価値提供を通じてその価値を証明できない限りは、無価値といっても過言ではありません。一方で、一見地味でそれほど画期的に見えないアイデアが、後に検証やピボットを通じて磨き上げられ、素晴らしいプロダクトや事業へと進化していくことは珍しくありません。

④Prototypingのプロセスは、「いまだ無価値なソリューションのアイデア」を「本当に価値のあるプロダクト」へと昇華させるための橋渡しをする重要な役割を担います。

このプロセスにおける重要な論点は、大きく以下の4つです。

Prototyping(1)優先して検証すべきサービスや機能の仮説は何か?
Prototyping(2)「顧客の受容性」と「解決策としての有効性」を検証するための最適な手法は何か?
Prototyping(3)プロトタイピングの結果や顧客の反応、データを正しく評価・検証できているか?
Prototyping(4)検証結果を踏まえて、プロダクト化に必要な対応は何か?

それぞれを検証によって明らかにし、本格的なプロダクト開発に入る前に想定される不確実性を可能な限りコントロールします。

Prototyping(1)優先して検証すべきサービスや機能の仮説は何か?

課題の検証時と同様に、ソリューションの検証においても一定の稼働や時間、コストをかけることになるため、一度にすべての仮説を検証することはできません。プロトタイピングの本質は「いかに時間やコストをかけずに必要最低限の試作品を用いて顧客がサービスや機能を疑似体験できる状態を創り出せるか」「そこから得られる顧客の反応やフィードバックを計測・学習し、今後の改善や検討に活かすことができるか」です。そのためソリューションの機能やサービスとして検討している案の中で、特に優先して検証すべきものに絞り込んだ上で、その「検証のために必要最低限の試作品」を実現する必要があります。

右ページの図表は、サービスや機能の案の中で、優先的に検証すべきものを絞り込む際の考え方についてまとめています。

基本的には、「顧客と課題」における仮説の優先順位を検討する際の考え方と同じです。横軸で左側に分類される「未検証または蓋然性（確からしさ）が低いサービス・機能の案」を優先して検証対象とします。例えば、顧客からの要望が強かったり、競合や類似・代替品で好評であったり、すでにこれまでの活動の中で検証ができているなどの何らかの根拠があって蓋然性が高いサービスや機能の案は右側に分類されます。

縦軸は、解決策としてのサービス・機能の案の仮説が棄却された際に、

図表　提供価値と解決策の仮説検証における優先順位の考え方

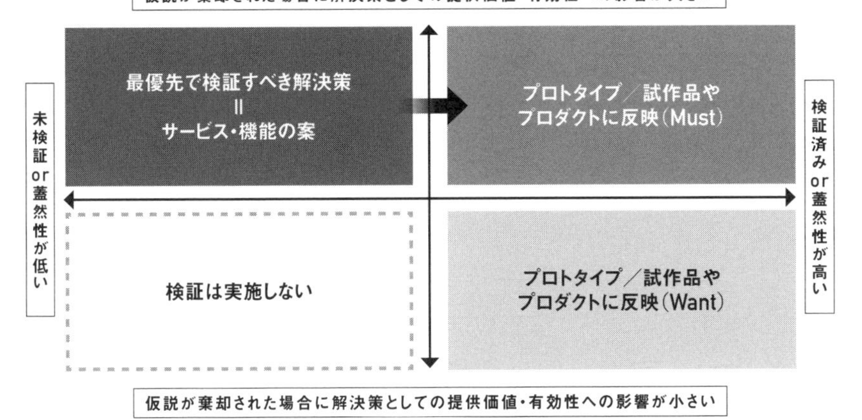

出典：筆者作成

ソリューションとしての提供価値や有効性（課題解決に対して直結していて有効か）への影響が大きいかどうかの観点で判断します。これは複数あるサービス・機能の中でも特に重要度が高いコアな機能だと考えられるものや、独自性や優位性を生むもの、自社の強いアセットを活かしているものなどが、上側に分類されると考えてください。

その上で、図表の左上に分類される「未検証・蓋然性が低い」かつ「提供価値や有効性への影響が大きい」と想定される案が最も重要な検証対象となります。また、もし右上に分類されている「すでに検証済み、もしくは蓋然性が高い」かつ「提供価値や有効性への影響が大きい」と判断できるサービス・機能（商品）の案があるとすれば、検証に時間をかけるよりも試作品、もしくは正式なプロダクトに組み込むことを前提に検討を進めてもよいでしょう。

このようにして、試作品に組み込み、プロトタイピングで検証する対象とするサービス・機能案を絞り込みます。

Prototyping(2)「顧客の受容性」と「解決策としての有効性」を検証するための最適な手法は何か?

サービス・機能の案を絞り込んだ後は、いよいよソリューションの検証に入ります。ここで主に検証すべき重要な観点は、「顧客の受容性」と「解決策としての有効性」の2つのみです。顧客の受容性とは、「顧客がソリューションを欲しいと思うか」「お金を払ってでも利用したいと思うか」という観点です。解決策としての有効性とは、実際のそのソリューションによって、想定していた顧客の課題が解決できるかどうかという観点です。

この2つの観点で十分な結果が得られない場合は、仮に正式なプロダクトとして開発を進めても、事業化して成功できる可能性は極めて低いでしょう。その時は、この2つの観点を満たせる状態を実現するまで、ソリューションのアイデアを見直し、改善や方向転換(ピボット)を繰り返していくことになります。

ただ、この検証を実施する際、顧客に「この製品はどう思う? 欲しい?」といった質問やインタビューを重ねても、実は精度が高く信憑性のあるフィードバックを得ることは困難です。インタビュー時には「いいね」「欲しい」「使いたい」というポジティブな反応が得られても、フタを開けてみると実際はまったく欲しがられない、使われない、売れないという悲劇が、新規事業開発の現場では日々繰り返されています。

これは、ソリューションを疑似体験してもらう目的に対して、インタビュー手法では限界があるためです。顧客もインタビューを受ける際には、目の前のインタビュアーに気遣いや配慮をしてしまい、ネガティブなコメントをしづらい面があります。いずれにしてもプロトタイピングの手法としては適切ではありません。

あくまでも、ソリューションの提供価値やサービス・機能をなるべく「バイアスがかからない状態で疑似体験できる状態を創り出す」ことが重要なのです。そのためには試作品(プロトタイプ)を、実際に顧客に提案してみる、提供してみることでの検証が必要になります。その上で、そのソリューションを欲しがってもらえるか、利用してもらえるか、お金を払ってもらえるか、買ってもらえるか、利用して課題が解決できて満足してもらえたか、使い続けてもらえたか、などの観点で顧客の反応や結果を客観的かつシビアに見極めなければなりません。

試作品を用意するといっても、必ずしも何かモノを作らなければいけないと考えるのは大きな誤解です。

例えば、提供価値が正しく伝わった結果、顧客が「欲しい、使いたい、利用したい、買いたい」といったポジティブな反応＝顧客の受容性を示すかどうかを検証したいとします。事業アイデアやソリューションのコンセプトや概要を記載した簡単なチラシやリーフレット、ランディングページなどを用意して、それを閲覧してもらうことで反応を見るという方法もあります。法人向けの事業では、実際にソリューションやプロダクトがない状態でも、企画書や提案書を作ってテストマーケティングやテストセールスを実施。顧客の反応がよかった場合のみ、開発を検討するという進め方も有効です。

米Amazon.comは新規事業開発でプロダクト開発に入る前に、1枚のプレスリリース案を作成して顧客のメリットやソリューションの概要をまとめるプロセスを試みることで有名です。これもプロトタイピングの手法の1つといえます。最近では事前予約販売やクラウドファンディングを活用したプロトタイピングも注目を集めています。クラウドファンディングや事前予約販売は、実際に顧客が身銭を切って受容性を証明してくれるため、非常に信憑性の高い検証結果やフィードバックが得られるのがメリットです。

一方で、解決策の有効性＝ソリューションの提供価値が顧客の課題を解決する手段として有効かどうかを検証する手法はどうでしょうか。顧客に受容性があっても、実際にそのソリューションで顧客の課題を解決しても満足を得られなかった場合、利用や購入を続けてもらうことは困難で、事業としての成立は見込めないでしょう。顧客の受容性だけでなく、解決策の提供価値や有効性の確からしさを検証することも欠かせません。

この場合は実際に提供価値やソリューションを体感してもらう必要があるため、受容性の検証よりもさらに踏み込んだプロトタイピングが必要になります。それでもまだモノ＝試作品の実物は必須ではありません。

例えば、「自分に最適な保険のプランがわからない」という課題を抱えた顧客に対し、顧客自身が入力した情報を基に最適な保険のプランを提案するソリューションを検討していたと仮定します。本来は、入力されたデータをシステム上で自動分析し、機械学習アルゴリズムを駆使して瞬時に提案が出てくるのが理想かもしれません。しかし、このソリューションの主要な機能が、あくまでもユーザーの情報に基づいて最適な提案を行うという仮説を検証する場合、システムやアルゴリズムを開発する必要はありません。入力された情報を基に、人間が手作業で最適なプランを検討して提案するというオペレーションを実施することで、そのソリューションの提供価値を疑似体験してもらうことは可能です。最近では時間とコストをかけずに検証する手法やツールが充実していますので、これを活用しない手はありません。

具体的な検証項目やフェーズにおける最適なプロトタイピング手法、またそれに適したツールやテクノロジーについては、右ページの図表にまとめました。

プロトタイピングは一度で終わるものではなく、仮説を検証しながら「顧客の受容性」と「解決策の有効性」が証明できるまで何度も繰り返します。このプロトタイピングの反復の重要性は、世界的なゲームメーカーである任天堂の大ヒット商品「Wii（ウィー）」が約1,000台、英家電メーカーのダイソンが看板商品の掃除機で5,127台の試作品を制作したという逸話が物語っています。

またプロトタイピングを実行する際も、正しい顧客セグメントを設定できているか、適切なサンプル数を確保できているかを確認することが必要です。想定している顧客とまったく異なる顧客を対象にしても、正しい検証結果やフィードバックは得ることは困難です。適切なターゲットを集客

図表 プロトタイピングの手法と位置づけ

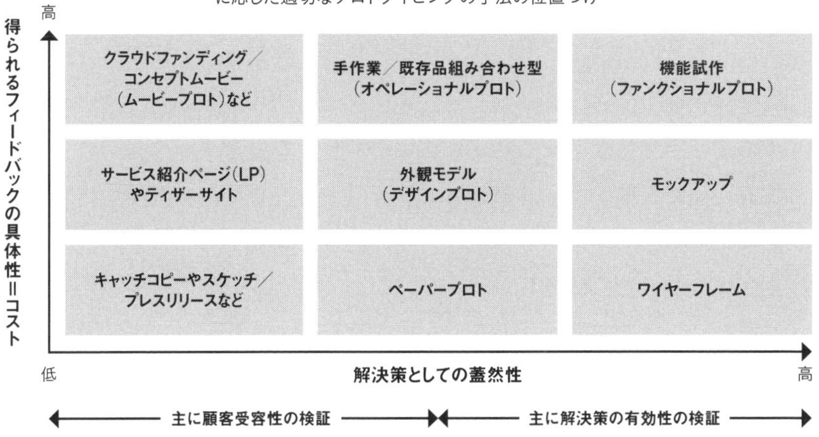

出典：筆者作成

図表 プロトタイピングの手法ごとの特徴やポイント

検証項目に応じて最適なプロトタイピング手法を選定

	工数・コスト	受容性	有効性	外観	機能／動作	特にフォーカスするポイント
キャッチコピー／プレスリリースなど	○	△	×	×	×	アイデアのコンセプト
LPやティザーサイト	△	○	×	△	×	ソリューションの概要・詳細
クラウドファンディング／ムービープロトなど	×	○	×	△	△	ユーザーの共感
ペーパープロト	○	○	△	△	△	サービスのフロー・画面遷移
デザインプロト	△	○	×	○	×	UIデザイン
オペレーショナルプロト	×	○	○	△	×	データを除くサービス体験
ワイヤーフレーム	○	×	×	△	×	情報要素
モックアップ	△	○	△	○	△	インタラクション
ファンクショナルプロト	×	○	○	△	○	主要機能

出典：筆者作成

するには、ツールやテクノロジーの活用に加え、デジタルマーケティングの活用が必須になります。

例えば、課題やニーズがある程度は顕在化している顧客セグメントを集めたい場合、Googleなどの検索エンジンで、特定ワードを検索しているユーザーに告知を出すサーチ・エンジン・マーケティング（SEM）や、リスティング広告などを活用するアプローチが有効です。

一方、まだ課題が潜在的な顧客セグメントについては、属性情報や行動ログなどを踏まえてターゲティングし、該当するユーザーに告知を出していくアプローチが有効でしょう。

Prototyping（3）プロトタイピングの結果や顧客の反応、データを正しく評価・検証できているか？

最適なプロトタイピング手法を選定して実施した後は、顧客の反応やフィードバック、データなどを正しく評価・検証していく必要があります。

検証活動の結果を正しく評価するためには、顧客の反応や行動、フィードバックを適切に計測し、可視化する必要があります。例えば、顧客の受容性を検証する場合に、顧客セグメントに該当する100人にサービス概要やコンセプトを説明するサイトやムービーなどを見てもらった上で、サービスのお試し利用や実際に申し込む人がどれだけ存在するのかを計測します。解決策の有効性を検証する場合は、想定顧客に開発したモックアップや実際に触れられる試作品、ベータ版サービスなどを利用してもらい、その行動や反応を徹底的に観察。利用後の満足度や継続利用の意向、正式な利用や購入意向などを確認する、などを行います。

検討しているサービス案や選択したプロトタイピング手法、検証するサンプル数などにもよりますが、これらの活動における顧客の反応や行動データなどを正確に計測し、可視化するためには、それを実現するための集計を行い、分析環境を整える必要があります。特に、顧客が自ら言葉にできない反応や行動を正確かつ定量的に計測するには、十分なサンプル数を確保した上で、行動のログやデータを適切に集計することができるデジタルテクノロジーの活用が欠かせません。

このような環境や体制を整備した上で、「顧客の受容性」と「解決策の有効性」の観点から検証を進めます。ただ、どのような結果であればこの2つの観点を満たしているかの判断は非常に難しく、検討している事業やサービス、ビジネスモデルによっても異なります。しかし、最終的に事業として収益化することを前提にすれば、ゴールから逆算して、それぞれがどの程度の反応や結果であれば正式なプロダクト開発に投資する価値があるかの判断基準を作ることはできます。また、このプロセスまで進むと、おおよその売上高・利益規模や収支計画、事業KPIなどを設計できるだけの情報が手元にそろってきているため、ラフな状態でもよいので一度作成してみて、将来的に狙う事業や売上高・利益の規模からブレイクダウンする形で、検討することをおすすめします。

例えば、「顧客の受容性」は、事業計画を検討する際の指標として、成約率や利用率、購入転換率などに影響を与えることが多く、どの程度の顧客数にリーチすることができれば、この程度が利用や購入に至るのではないか、という仮説の精度を高めるのに活用できます。一方で、「解決策の有効性」は、顧客の満足度や継続利用・リピート率、利用や購入の頻度などに影響を与えることが多く、一度利用・購入してくれた顧客がどの程度満足し、継続的に利用・購入をし続けてくれるのか、という仮説の精度を高めるのに役立ちます。特に、顧客から直接収益を上げることを想定したソリューション案の場合は、実際に対価＝お金を支払ってまで利用したいと思ってもらえるのか、またお金を支払い続けてもらえるだけの価値を感じてもらえているのかという観点は、今後事業として成立させる上で非常に重要になります。口約束や対価の支払いがない範疇での利用意向ではなく、顧客が身銭を切ってでも使いたいという受容性と有効性を確認できることが理想です。

この段階で確認できていたとしても、実際にプロダクトを開発して正式

図表 売上高や収支の計画から逆算してKPIや検証の判断基準を設計する際のイメージ

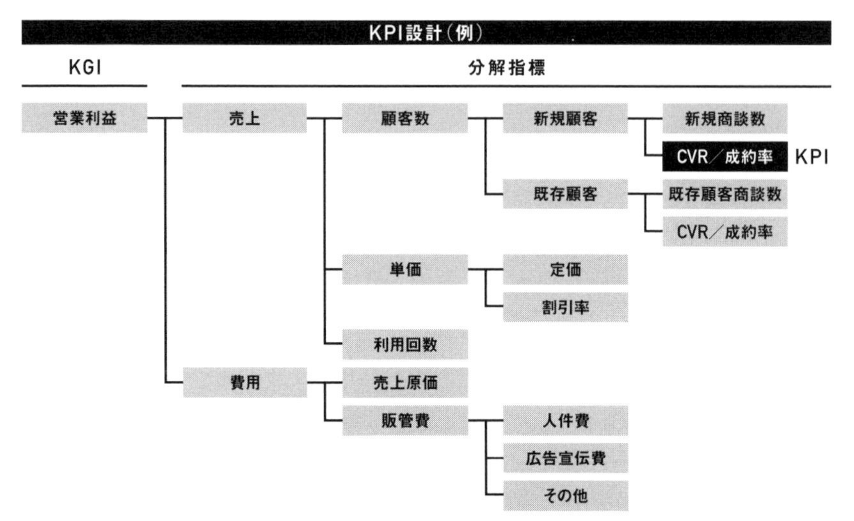

KGI：Key Goal Indicator の略。事業目標の達成レベルを測るために利用する指標
KPI：Key Performance Indicator の略。事業目標を達成するために重要な指標

出典：筆者作成

に提供すると、さまざまな前提条件や環境の違いなどから「想定よりも使われない」「買われない」という事態も新規事業では頻繁に起こります。そのため、この段階では少し厳しめの基準を設けておいたほうが無難だといえるでしょう。顧客から直接収益を上げないタイプのソリューション案であっても、継続的に高頻度で利用してもらえる粘着性やロイヤルティーが高い顧客がついてくれるかどうかは非常に重要です。このあたりの指標や判断基準の妥当さについては、ビジネスモデルや業界ごとの平均的指標や相場感も踏まえつつ、現実的なレベルで検討する必要があります。

Prototyping（4）検証結果を踏まえて、プロダクト化に必要な対応は何か？

プロトタイピングを通じて得た検証結果を踏まえて、正式にプロダクト開発に投資し、商用版として提供していくと決断する場合は、「初期のプロダクト開発」に進んでいきます。検証の結果、「顧客の受容性」があり、かつ「課題の解決策」としての有効性が高い必要最低限のサービスや機能の要件を明確にすることで、正式な事業化を目指すプロダクト開発においても無駄な資金や時間を投入しないようにすることが原則です。

検証を通じて、「解決策としての有効性」への影響が大きく、かつ「蓋然性の高いサービスや機能」に該当するソリューションのうち、顧客の受容性が高いものだけを初期プロダクトの要件に盛り込む形で検討します。また、顧客の受容性の検証の中で得られた結果なども踏まえて、顧客にリーチ・訴求するチャネルや方法、概要やコンセプトの伝え方なども含めてプロダクトを展開する際の参考にしつつ、想定していたビジネスモデルの仮説が成立し得るかという観点でも必要な対応や改善しなければならないポイントを明確にしておく必要があります。

以上の4つの論点を念頭にプロトタイピングのプロセスを完遂し、「顧客の受容性があり、課題を解決できるプロダクト要件が明確になっている」という状態を目指します。

・次のフェーズに進めるべきかを判断する基準についての考え方

事業構想フェーズにおける最後のプロセスにあたる「④Prototyping」の検証結果が出た段階で、本格的な投資を通じて事業化を目指すプロダクト開発をする「■2・Creation（事業創出・事業化）フェーズ」に進むのか、それとも第4章で触れたように検証結果を踏まえて事業の方向性を転換（ピボット）するのか、もしくはこの時点で撤退の判断をするのかを意思決定する必要があります。

具体的な定量指標やKPIはビジネスモデルによっても異なりますが、基本的には、

・ソリューションのサービスや機能に対して顧客の受容性がある
　例：顧客の利用意向、購入意向、課金意向などが強い

・ソリューションのサービスや機能に、解決策としての有効性がある
　例：顧客の満足度や継続利用意向、商品化希望などが強い
・ビジネスモデルとして成立し得るプロダクトの要件が明確になっている
　例：想定したような収益の上げ方や顧客単価が見込める可能性が高い

という上記3つの重要な観点をクリアしていれば、次のフェーズに挑戦してよいと考えられます。

一方で、上記3つをクリアできていない場合は、ソリューションのアイデアを方向転換するなどして試行錯誤を続けるか、それでも厳しいようであれば撤退を検討する必要があります。どんなに丁寧に検証を重ねてきたつもりでも、この段階になって想定していたような課題を顧客が抱えていなかった、などと判明することもあります。その場合は「①Insight」や「② Define」のプロセスまで立ち戻る必要があります。そうなると、もはや方向転換ではなく、まったく新しい事業構想を検討する位置づけになると考えるべきでしょう。

ここまでのプロセスを通じた活動や検証結果などのデータや情報を基に、おおよその事業計画などを作成できる状態になります。事業プランを作ってみることで足りない観点や不足している情報や検証などに気づくこともできるため、この段階でプランを一度作成した上で、次のフェーズに進めるかを検討するのがよいでしょう。

参考までに、この時点において事業計画を作成した場合のチェックポイントについて記載しておきます。

・事業や領域の性質や不確実性に応じて柔軟にプロセスを変更する

本章の冒頭で触れたとおり、この仮説検証型の事業開発プロセスは新規事業開発に特有の不確実性をコントロールするためのものです。新規事業開発の中で最も不確実性が高いのがこの「■1・Concept（事業構想）フ

図表 事業プランのチェックポイント

事業構想フェーズは、プロセスの進捗に応じて適切に不確実性を許容しつつ
新規事業案を構成する重要な要素／観点において網羅的に事業を評価する

	項目	観点
この時点で必須な観点	顧客と課題	顧客や課題の解像度が高くなっているか、適切な洞察により発見・定義できているか 顧客像や顧客セグメントは明確になっているか
	市場規模／ ポテンシャル	課題の質（広さ×頻度×深さ）が高く、事業として自社が取り組む意義があるか
	マクロ動向／トレンド	解決しようとしている課題は構造的なものであり、今後も課題として継続・拡大するか
	提供価値と解決策 および トラクション（兆し）	課題に対する解決策として整合性が取れているか 解決策に顧客の受容性や有効性があるか、 またそれを証明する顧客の声や反応があるか
この時点で重要な観点	自社で取り組む意義	自社のビジョンやインキュベーション戦略と親和性があり、 取り組む意義が明確な事業か
	自社アセット活用	自社の強みとなるアセットを源泉とした優位性を構築できる事業になりそうか 自社のアセットは十分に利活用できそうか
	独自性／優位性	競合や類似品や代替品と比較して独自の提供価値があり、 明確に差別化できているか
	実現性／リスク	この事業を実現できる可能性は高そうか 技術的、経済／財務的、法務的なあらゆる観点で現実的か または致命的なリスクはないか
	資金使途／検証計画	投資した資金を何に、どのように活用する計画やアクションプランを立てているか KGI／KPIの設計や検証項目、検証方法などは適切に設計されているか
今後検証すべき観点	リーダー／チーム	この事業を自ら責任を持って最後まで取り組める強い意志や資質があるか 事業に必要な能力を備えた人材や チーム・パートナーも含めた体制構築ができそうか
	事業性／収益性	この事業は安定して利益を創出することができそうか ビジネスモデルは事業の性質に合わせて適切な設計がなされているか
	成長性・拡大可能性	この事業は既存市場のシェアを獲得、もしくは市場を新たに創造できそうか 中長期的に見てスケールするか、 指数関数的な成長かサステナブルな成長が見込めるか
	持続可能性・ EXITプラン	この事業は収益性や成長性を永く維持・拡大できそうか 最適な事業運営スキームや体制を構築・実現できそうか

出典：筆者作成

ェーズ」であり、後半のフェーズやプロセスに進むにつれて徐々に不確実性は低減していきます。だからこそ、この事業構想フェーズにおけるプロセスの重要度は極めて高いのです。ゆえに筆者も手厚く解説や考察をしてきました。

しかし、ここまで微細なプロセスを踏襲して事業開発を進めていくと、どんなにコストや時間をかけないように意識して進めても、それなりの期間を要することは想像に難くないと思います。不確実性の高い革新領域の事業で、いまだ顧客の課題やニーズが顕在化するまでに時間がかかる「啓蒙段階」にある市場が対象だったり、競合の参入可能性が低くて代替品の脅威なども少なかったりする場合は、不確実性のコントロールを最優先し、本プロセスを一から踏襲していくことが適切といえます。

一方で、すでに顧客の課題やニーズが顕在化していて競合の参入可能性が高く、代替品の脅威などが比較的高い場合などには、不確実性のコントロールよりも、「事業参入のタイミングやスピード、競争優位性の構築」などを優先するほうが適切な場合もあります。特に先行者利益が大きい領域やネットワーク効果が働きやすい事業は、参入タイミングやスピードは事業の成否を左右する非常に重要な要素の1つです。機を逸してしまうと後から取り返しがつかなくなる可能性もあります。

このように基本的なプロセスを理解しつつ、事業や領域の性質や不確実性に応じて臨機応変にプロセスを変更する柔軟さを持つことが大切です。

第 6 章

新規事業を構造的にグロースさせるための理論と実行

2
Creation（事業創出・事業化）フェーズ

「■1・Concept（事業構想）フェーズ」を経て検証されたアイデアを実際に事業化し、事業として成立する状態＝継続的に収益が上がり続ける構造を作るところまでを目指すのが、「■2・Creation（事業創出・事業化）フェーズ」です。事業構想フェーズと比較すると、さまざまな仮説の検証を経て蓋然性の高い事実や情報を基に、本格的な事業として実行・推進していくため、不確実性は低減していき、ある程度やるべきことが明確になってきます。

一方で、取り組む事業領域や事業内容、ビジネスモデルなどによって、KFS（Key Factor for Success＝重要成功要因）や、そこから設定すべきKPI、構築すべき体制やチームメンバーの構成・能力、注力して投資すべき部分や適切な投資額なども千差万別になります。どの事業にも共通する汎用的なプロセスやアクションは相対的に少なくなってくるため、各事業やプロジェクトごとに事業推進を実践しながら、自発的に試行錯誤を繰り返していくことの重要性が高まってきます。本書ではその中でも共通して重要な論点について解説したいと思います。

■2・Creation（事業創出・事業化）フェーズでは、大きく2つの検証対象が存在します。

1つは、新規事業開発における7つの検証項目のC)「製品と市場」(Product & Market）で、実際に開発した正式な製品＝プロダクトが市場に受け入れられるかどうか、プロダクトに満足して継続的に利用・購買してくれる顧客や市場が存在するかどうか、という観点で検証を行います。

もう1つは、7つの検証項目のD)「事業性・収益性」(Feasibility）で、事業として成立するのか、プロダクトを提供・販売することで継続的に収益が上がる構造を作ることができるのか、という観点で検証を進めます。

7つの検証項目
C)「製品と市場」(Product & Market)

それでは、C)「製品と市場」(Product & Market) の検証について詳細を見ていきましょう。この検証活動には大きく2つのプロセスがあります。1つは④Prototypingの検証結果を踏まえて、プロダクトとビジネスモデルを開発する「⑤Development」、もう1つはプロダクトを実際に世に出して提供し、良質な初期顧客となるアーリーアダプターを獲得することで、後の成長の確度を高める「⑥Launch」です。それぞれの要点や、検討を進める際の注意点などについて解説します。

⑤Development
〜テスト結果を踏まえてプロダクトとビジネスモデルを開発する

これまでのプロセスや検証活動で得た学びや、顧客からのフィードバックなどを基に、実際に「正式な商用プロダクト」を作り、提供できるように必要最低限の製品やビジネスモデルの運営体制が構築されている状態を目指します。ここで重要な観点は、主に次の3つです。

Development(1) 商用プロダクトを提供してビジネスモデルを回す少数精鋭のチームや体制があるか?
Development(2) プロダクトや事業の特性に応じて最適な開発アプローチを採択できているか?
Development(3) 必要最低限の製品を作り、段階的な投資で改善や修正を重ねていけるか?

これら3つの観点をクリアすることで、本プロセスにおいて直面する課題や起こりがちな失敗を回避し、新規事業開発の成功確率を高められるようになります。

Development（1）商用プロダクトを提供してビジネスモデルを回す少数精鋭のチームや体制があるか？

プロダクトを正式に商用目的で提供して事業化を推進するには、Concept（事業構想）フェーズでの④Prototypingのプロセスとは異なり、一定の水準の品質と期間を担保してプロダクトを作って提供し、ビジネスモデルを回せるチームや体制を構築していくことが必要です。しかし、事業化を目指して投資を始める場合でも、いきなり大所帯にすることは得策ではありません。あくまでも必要最低限かつ少数精鋭のチームにして、人件費やコミュニケーションのコストを抑えつつ、スピーディーに事業を推進しながら、仮説検証を繰り返していくことが重要です。

本プロセスに入る段階では、専任のメンバーを配置してチームを組成する必要があります。可能ならConcept（事業構想）フェーズに着手する前、もしくは同フェーズの途中からでもよいので新規事業開発に適した強いチームを作り上げられることが理想です。というのも、プロセスを共に経験していく過程で、チームとしてのエンゲージメントや能力の向上が期待できるからです。

では、新規事業開発に適したチームの要件とはどのようなものがあるでしょうか。筆者は、大きく以下の3つの要素があると考えています。

図表 新規事業開発に適したチームの要件

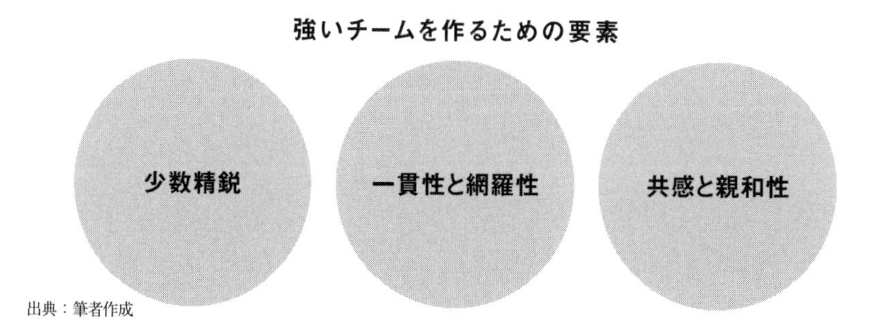
新規事業においては、アイデアやプラン≦チーム力
苦境の連続を乗り越える強いチームを作れるかが成否を分ける
強いチームを作るための要素
少数精鋭
一貫性と網羅性
共感と親和性

出典：筆者作成

＜少数精鋭＞

プロダクトを提供してビジネスモデルを回す上で、必要な機能を最低限の人数で満たす「少数精鋭」のチームであることが重要です。まだ事業性や収益性が検証できていないこの段階では無駄な投資を行わずに、なるべくコストをかけないで検証活動を進めなければなりません。人数が多いとチーム全体のリソースの量は確保できる一方で、人件費やコミュニケーションの関係性などが増加し、スピードも低下します。そのため、なるべく少ない人数で各々が多能工としてさまざまな役割や領域を担いながら推進することができる「少数精鋭」のチームであることが求められます。

下の図表を見るとわかるように、チームの人数が増えると人件費に加えて、メンバー間のコミュニケーションの関係性の数が増えるため、コミュニケーションコストも増加してしまい、結果として意思決定や実行のスピードも低下します。例えば、チームメンバーが3人の場合と6人の場合では、人件費は2倍ですが、コミュケーションコストは5倍と加速度的に膨れ上がっていきます。よく最初から大所帯の体制を作って失敗する新規事業がありますが、この構造によって生まれるコスト負荷やスピードの遅さが主

図表　少数精鋭の重要性 ― チームのメンバー数と各指標の例

人数が増えれば増えるほどコミュニケーションや人件費が増加
コスト負荷が上がり、スピードも落ちるため成功確率が低下する
（ただし、1人はリソース／視点不足、2人は仲違いリスクが高まる）

**3人の場合、人件費／
リソースが3、コミュニケーションコストは3**

**6人の場合、人件費／
リソースが6、コミュニケーションコストは15**

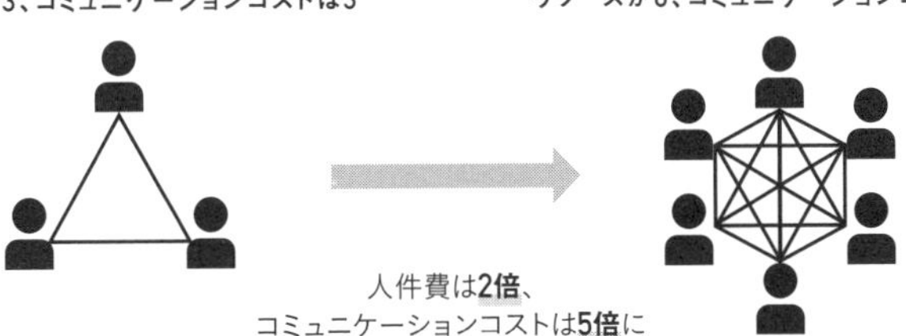
人件費は**2倍**、
コミュニケーションコストは**5倍**に

出典：筆者作成

な原因の1つです。大人数のチーム全体で合意形成を図ろうとすると、尖ったアイデアが否定されて何の変哲もない凡庸なものになったり、メンバー各々の当事者意識や責任感が薄れたりといった弊害が起こりがちです。

では、メンバーやコミュニケーションコストは少なければよいのでしょうか。新規事業開発をするには必要な機能やリソースは最低限確保しなければなりません。1人では確実にリソース不足になり、必要な機能を網羅できません。事業内容やビジネスモデルによっては2人のコアメンバーでチームが成立する可能性もありますが、筆者の経験からは2人ではリソース不足になりがちで、2人の意見が割れた際などに仲違いや関係性の悪化が発生するケースが多いのです。

この段階では、コアメンバーが3人のチームが、リソース、人件費、コミュケーションコストといった観点を総合した際に、最もバランスがよいチームであるというのが筆者の考えです。その上で、新規事業開発プロセスを進めていく中でチームに足りない人材や不足した機能を補うべく、段階的にチームメンバーを増強していきます。

ちなみに、プロジェクトを効率的に推進できるメンバー数については、米Amazon.comの創業者・CEOのジェフ・ベゾス氏による、有名な「2枚のピザ理論」があります。2枚のピザで満腹にならないチームは、メンバー数が多すぎると指摘しています。

＜一貫性と網羅性＞

2つ目は、プロジェクトチームのビジョンや取り組む事業内容、戦略などに一貫性と網羅性があることです。一貫性がある状態とは、事業として目指すビジョンや、なぜ取り組むのかという目的である「Why」と、そのために何をするのか、どんな事業やプロダクトを提供するのかという「What」、そしてそれを具体的にどのように実現するのかという「How」の3つに一貫性があり、このストーリーに沿って共通認識を持って行動している状態を指します。

ここに一貫性がない、それが適切に可視化されていない、共感や納得を得られていない、という場合はチームメンバーに迷いが生じ、モチベーションの低下につながります。「Why」で共感を得て、「What」で合理性や納得感を高め、「How」で具体性や実現可能性を共有することが重要なポイントになります。

また、網羅性がある状態とは、「Why」「What」「How」のそれぞれを「誰が担うのか」を考える際に、チームメンバーで必要な役割を担えている状態を指します。誰がどの役割を担うかは柔軟に調整すればよいですし、重複する部分があっても構いません。しかし、不足し欠けている部分があると、新規事業開発を推進するのに必要な機能や役割が満たされないため、支障をきたします。また、「Why」にあたるビジョンや事業に取り組む目的や意義を定義し、発信する役割や、チーム内で意見が割れた際の最終意思決定を果たす役割などは、事業リーダーが担わなければなりません。

「What」や「How」の部分についてはチーム内の誰が何を担ってもよいのですが、この2つを満たすために必要な人材や求められる能力は事業内容やビジネスモデルによって異なります。例えば、ウェブサービスを開

図表 一貫性と網羅性で個々のミッションや役割を明確にする

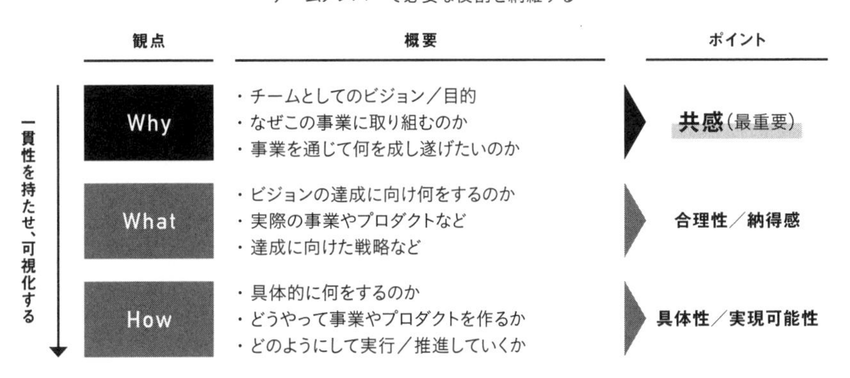

チーム内で、Why-What-Howを明確にして一貫性を作る
チームメンバーで必要な役割を網羅する
観点
概要
ポイント
一貫性を持たせ、可視化する
Why
・チームとしてのビジョン／目的
・なぜこの事業に取り組むのか
・事業を通じて何を成し遂げたいのか
共感（最重要）
What
・ビジョンの達成に向け何をするのか
・実際の事業やプロダクトなど
・達成に向けた戦略など
合理性／納得感
How
・具体的に何をするのか
・どうやって事業やプロダクトを作るか
・どのようにして実行／推進していくか
具体性／実現可能性

出典：筆者作成

発して提供する事業の場合は、事業リーダーに加えて、プロダクトやサービスを開発するウェブエンジニアと、プロダクトやサービスをデザインするデザイナーが入れば、3人という少数精鋭で必要な役割を果たすことができます。自社のチームが取り組む事業にとって、何が必要最低限であり、網羅すべき役割であるかを見極めることが重要です。

＜共感と親和性＞

3つ目は、チームメンバーをアサインする際に、能力やスキルだけでなく、共感と親和性を重視するべきだということです。新規事業開発においては、想定通りに進まないことや方向転換が日常茶飯事です。もともと想定していた能力やスキルの優先度・重要度が下がることもあれば、他の能力やスキルが必要になったり、短期間で成長や変化を求められたりすることも多々あります。そのような不確実性が高く、変化の激しい環境下においては、その時点の能力やスキルだけでなく、環境に応じて自分が変化することをいとわず、事業やチームのビジョンに基づいて同じ方向に向かって一丸となって活動する原動力となる共感や、チームにフィットする親和性が必要不可欠になります。この共感や親和性が生む強いコミットメントやエンゲージメントが新規事業を担うチームには欠かせないのです。

・事業開発メンバーに最もアサインしてはならない人材とは

少数精鋭でプロジェクトを推進する初期段階は、事業開発や運営に必要な能力やスキルを備えるだけでなく、その上でビジョンへの共感やチームとの親和性が高い人材のみをアサインすることが理想です。スキルは重要ですが、それ以上にこの段階では共感や親和性を重視するべきです。

逆に最もアサインしてはいけない人材は、能力やスキルは高いものの、ビジョンへの共感やチームとの親和性が低い人材です。ともすると能力やスキルを評価してアサインしたくなりがちですが、なまじ能力が高い分、その人材の発言や意見が周りに与える影響も大きいので、エンゲージメントが低くてチームにフィットしなかった場合に及ぼす悪影響は甚大です。

図表 共感と親和性でエンゲージメントを高める——チームメンバーのアサインの考え方

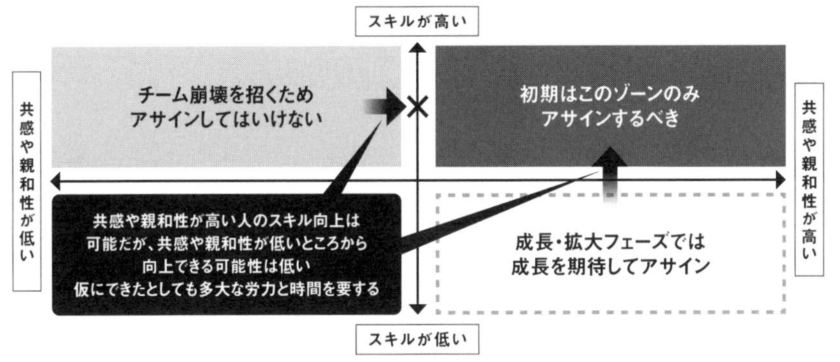

出典：筆者作成

このような人材をアサインしてしまったがために崩壊したチームを筆者はこれまでに何度も見てきました。

一方で、新規事業開発のプロセスが進み、事業がある一定の軌道に乗って安定成長させられる算段が立ってきた段階では、現時点の能力やスキルは十分ではなくても、共感や親和性がある人材ならば、今後の成長を期待して追加でアサインすることは問題ありません。双方を兼ね備えた人材は希少であり、どこにでもいる存在ではありません。人員強化が必要になる成長・拡大フェーズにおいては十分に合理的な判断といえます。

Development(2) プロダクトや事業の特性に応じて最適な開発アプローチを採択できているか?

チームや体制を作った後は、いよいよ正式なプロダクトの開発に入ります。ここでいうプロダクトとは、④Prototypingによる検証を経た上で開発し、ソリューション案が正式に製品化されたものの総称で、広義の意味で事業として提供・販売する製品を指します。何かしらのモノづくりが必要になるものだけではなく、無形の商材やサービスなども含みます。要は、顧客課題を解決するソリューションとして提供するモノやサービス＝商材を作る、ということです。

このプロダクト開発を手掛ける際には、プロダクトや事業の特性に応じて最適な開発アプローチを採択する必要があります。ここで採択を誤ると、膨大な時間やコストを浪費してしまい、事業の進捗を大きく妨げる要因になります。

このプロセスにおいて重要なのは、④Prototypingを経て、顧客の受容性と解決策として有効性があると検証されたサービスや機能のみを、なるべくコストや時間をかけずに実装することです。「リーンスタートアップ」という手法論には「MVP（＝Minimum Viable Product、実用最小限の製品）」という言葉が使われます。このMVPを開発する際に、事業やプロダクトの特性を踏まえて、大きく2つの開発アプローチから、臨機応変に最適なものを採択していきます。

こうした開発アプローチは「ウォーターフォール型」と「アジャイル型」に分かれます。この2つは主にソフトウェアやウェブサービス・アプリなどの開発分野で用いられる概念ですが、実際はハードウェアの開発や無形のサービスなど、あらゆるプロダクト開発で共通言語として適用できます。

「ウォーターフォール型」は、開発する際に計画通りに進めるという前提を重視し、プロダクトのすべての機能やサービスについて「企画」「設計」したものを、「実装」「テスト」していくという工程に分けて、順に実施する方法です。 前の工程には戻らない前提であることから、下方から上方へは戻らない水の流れにたとえてウォーターフォール（滝）と呼ばれます。

「アジャイル型」は、開発する際に「企画」や「設計」の変更があるという前提に立ち、初めから厳密な仕様は決めず、おおよその仕様だけで細かい開発を反復し、プロダクトの一部の機能やサービス、もしくは時間的に区切った小単位での「実装→テスト」を繰り返し、徐々に開発を進めていく手法です。近年、特にソフトウェアやウェブサービス・アプリなどの新規開発で取り入れられることが多くなっています。

詳細は他書に譲りますが、いずれのアプローチにも、メリットとデメリットが存在するため、必ずしもどちらが優れているというものではありません。あくまでも手段ですので、事業やプロダクトを成功させるという目的のために、特性に合わせて柔軟に検討するべきであり、特定のアプローチや手法論ありきでの開発にならないように注意してください。

2つのアプローチの違いを踏まえた上で、自社の事業ではどちらを採択するのがベターだと判断するべきでしょうか。筆者は大きく2つの軸があると考えています。

1つ目の軸は、そのプロダクトのMVPを開発するコストや時間が大きいかどうか。例えば、最低限の機能を備えたMVPとはいえ、ハードウェアの開発を伴うプロダクトの場合は、かかるコストや時間が大きくなる傾向があります。また、ソフトウェアやウェブサービスであっても、例えば大企業向けの基幹システムや、高いセキュリティ水準などを求められる大規模なシステム開発などは、多くの人員と時間を要する大規模プロジェク

図表　ウォーターフォール型とアジャイル型における開発プロセスの違い

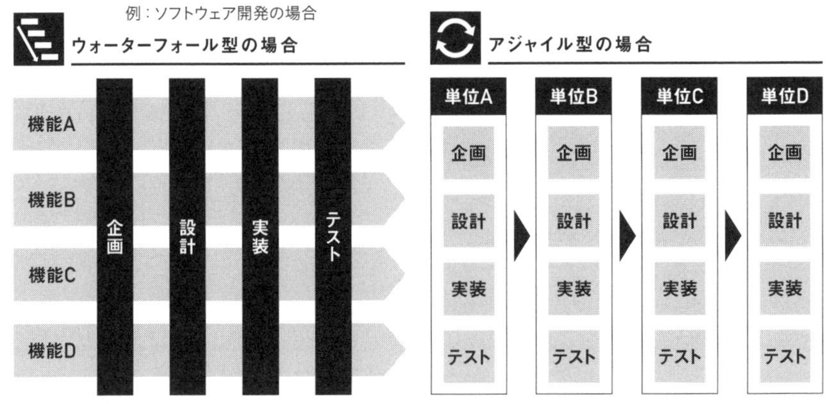

出典：筆者作成

図表 ウォーターフォール型とアジャイル型の特徴

ウォーターフォール

方針	安定性重視
管理部門	IT部門が集中管理
対象業務	予測可能業務
求められること	決められた計画やアクションを死守する
適した領域・事業	既存事業や不確実性の低い新規事業（隣接・周辺領域）
重視すること	効率性、ROIなど
マネジメントスタイル	トップダウン
適した規模	大規模
強み	統率力、実行力

アジャイル

方針	速度重視
管理部門	ユーザー部門が分散管理
対象業務	探索型業務
求められること	何が有効で価値があるかを素早く探索する
適した領域・事業	不確実性の高い新規事業（革新領域）
重視すること	新規性や革新性、スピーディーな進捗と学習、大きなリターンなど
マネジメントスタイル	ボトムアップ
適した規模	小規模
強み	機動力、柔軟性

出典：筆者作成

図表 ウォーターフォール型とアジャイル型の特徴を生かす考え方

ウォーターフォール型は想定通りの場合は最短距離で進むが、
想定が外れた際のボラティリティが高いため、不確実性が低い開発と親和性が高い
アジャイル型は探索や検証を重ねるため最短距離ではないが、
ボラティリティが低いため、不確実性が高い開発と親和性が高い

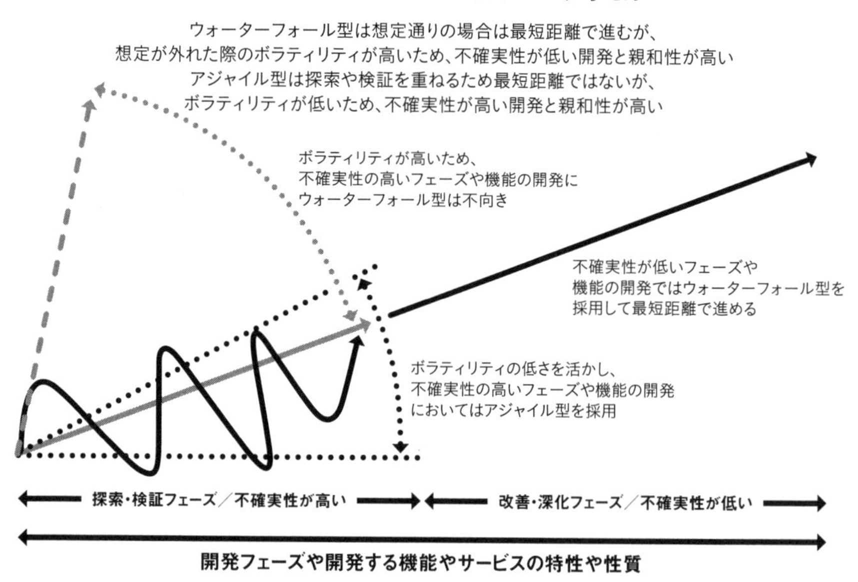
ボラティリティが高いため、
不確実性の高いフェーズや機能の開発に
ウォーターフォール型は不向き
不確実性が低いフェーズや
機能の開発ではウォーターフォール型を
採用して最短距離で進める
ボラティリティの低さを活かし、
不確実性の高いフェーズや機能の開発
においてはアジャイル型を採用
探索・検証フェーズ／不確実性が高い
改善・深化フェーズ／不確実性が低い
開発フェーズや開発する機能やサービスの特性や性質

出典：筆者作成

トになることもあります。基本的には、コストや時間が大きくなる大規模なプロジェクトは開発に関わる人数も多くなるため、プロジェクトの全体像や計画が把握しやすく、作業を効率的に分担しやすいウォーターフォール型との親和性が高くなります。

2つ目の軸は、開発するプロダクトが対象とする事業領域や、プロダクトのMVPに必要なサービスや機能について、プロジェクトチームの知見や経験がどの程度あり、既知の情報をどの程度持っているか。当然、知見や経験が深くて既知の情報が多い事業領域でのプロダクト開発であれば不確実性は低くなり、反対に知見や経験が少なくて未知の情報が多い事業領域では不確実性が高くなります。

これら2つの軸によって、最適なプロダクト開発アプローチを採択するための考え方を整理したのが、下記の図表です。

図表　最適なプロダクト開発アプローチを採択する考え方

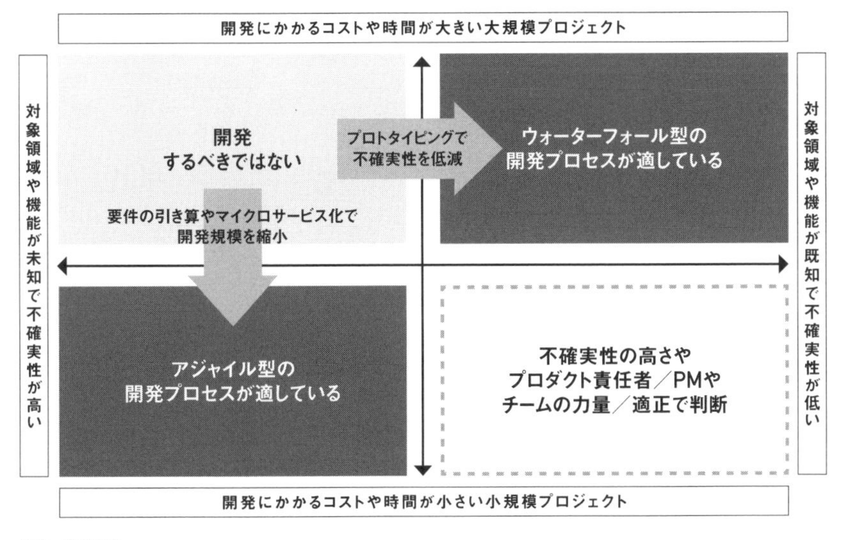

出典：筆者作成

基本的にはプロジェクトの規模と不確実性の高さによってアプローチを採択しますが、右下に位置づけられる開発においては、プロダクト責任者やプロジェクトマネージャーを担う人材を含めたチームの力量や適性で判断することが必要になります。

Development(3) 必要最低限の製品を作り、段階的な投資で改善や修正を重ねていけるか?

最適な開発アプローチを採択して開発しても、この段階ではまだ必要最低限の状態であり、④Prototypingのプロセスと同様に継続して仮説を検証しながら改善・改良を重ねていく必要があります。そのため、仮説の検証状況に応じて「段階的に投資判断を行う」とともに、「追加の開発・改修をスピーディーかつ柔軟に実行できる状態」にしておく必要があります。

⑤Developmentのプロセスでは、顧客の反応やフィードバック、アクセスログなどを正しく把握・計測して可視化・分析できるようなデータドリブンな環境が④Prototypingと同様に必要です。これに加えて、正式な商用版プロダクトとして成長させていくために「拡張性」の観点が重要になります。

例えば、想定していた機能やサービスに対する顧客の反応が悪く、新たに別の機能を付加しなければいけない場合もあるため、改善が容易にできる設計が重要になります。追加の開発や改修を施す前提に立って設計していなければ、スピーディーな検証や改善などは望むべくもありません。

追加の開発や改修に必要となる、経営資源の調達や活用の難易度にも注意が必要です。段階的な投資を前提にしていない意思決定や承認のプロセスであるケースや、原資となる予算や資金が確保できていないケースなどもよくある失敗です。このほかにも、特殊で希少性の高い人材や技術が必要になるため、採用や人材確保が難しくなり、拡張性を保てないケースも多く発生しがちです。段階的な投資と改善を繰り返しながらプロダクトを素早く柔軟に開発し成長させていける「拡張性」の有無は、非常に重要な要素です。

次は、これまでに紹介した3つの観点を意識した「⑤Development」のプロセスを経て開発したプロダクトを、いよいよ実際の市場に提供していきます。

⑥Launch～プロダクトを世に出して良質な初期顧客を獲得する

この「⑥Launch」プロセスでは、⑤Developmentで開発したプロダクトを、実際に世に出して顧客に提供し、良質な初期顧客を獲得していきます。その結果、プロダクトに満足して実際に継続的に利用や購入をしてくれる顧客や市場を見つけて、顧客数を拡大できる状態を実現することがゴールになります。

新規事業を立ち上げて収益化するためには、継続して利用・購入してくれる優良な顧客基盤が欠かせません。顧客がゼロの状態からスタートする新規事業では、顧客の獲得から開始する必要がありますが、獲得した顧客が満足せずに、一度きりしか利用・購入してくれないようでは、いつまで経っても顧客は増えていきませんし、顧客の新規獲得に対してコストを投下し続けなければなりません。結果として、継続的に収益が上がる構造を実現することができず、事業としての成功確率は大幅に低下します。

近年のビジネス界では、優良顧客を「ロイヤルカスタマー」や「ファン」と表現し、いかにして獲得した顧客を昇華させていくかに注力する企業が急増しています。新規事業開発でも、将来的に継続利用・購入し、口コミや紹介などを通じて新規の顧客を連れてくる「ロイヤルカスタマー」や「ファン」になり得る良質な初期顧客や市場は、非常に大切です。熱心な優良顧客数が拡大していく状態を作ることができれば、事業の成功確率は大きく高まるといえます。

それにはまず、想定する顧客セグメントを意識しながら、あらゆるチャネルや情報発信を通じて初期顧客の獲得に注力します。その上で、良質な初期顧客かどうか、そして目指す状態を実現できているかどうかを測る観点や指標を用いて、適切な顧客や市場を発見していきます。

このプロセスにおいては重要な観点は、主に次の3つです。

Launch(1) 網羅的なチャネル活用や情報発信により効率のよい顧客獲得アプローチが発見できるか
Launch(2) 顧客が満足するプロダクトの提供と良質な初期顧客の発見が実現できるか
Launch(3) 発見した良質な顧客は、継続して獲得を続けて顧客基盤を拡大できるか

それぞれについて詳細を見ていきましょう。

Launch(1) 網羅的なチャネル活用や情報発信により効率のよい顧客獲得アプローチが発見できるか

開発したプロダクトを想定する顧客に提供するには、顧客との接点を増やしていく必要があります。そのために活用するチャネルや、チャネルを通じて発信する情報や訴求内容は、どんなアプローチが有効かを見極めることが重要です。なぜなら、このアプローチによっては出会える顧客セグメントが変わるため、網羅的なアプローチを試すことで、良質な初期顧客となり得るセグメントを発見することにつながるからです。

ひとくちにチャネルといっても、リアルやオフラインの接点だけでなく、デジタルやオンラインも含めると、顧客にリーチできる手法は多種多様にあります。むしろ、コロナショック後のニューノーマル時代には、あらゆる事業活動において非接触・非対面化を前提としてデジタルやオンラインへの移行が急速に進んだことで、こちらが主流となり、この流れに対応できない企業は淘汰されかねないでしょう。

それぞれのチャネルで、プロダクトのコンセプトやサービス・機能の魅力を訴求する際の切り口や伝え方にもいくつかのパターンが考えられます。この「チャネル」と「訴求・発信するコンテンツや情報」の組み合わせを考慮すると、顧客へのアプローチの可能性は極めて多岐にわたります。想定していた顧客セグメントも、どのようなチャネルの、どのような情報を訴求するかによって、顧客の反応や行動が大きく変わる可能性があります。顧客のプロダクトに対する需要や、プロダクトによって解決できる課題の顕在化度合いによって、適したチャネルや反応する情報が異なるからです。

例えば、すでに情報や商品・サービスを求めている「顕在層」に対するアプローチでは、代表的なのが、GoogleやYahoo!などの検索エンジンで具体的キーワードを入力して検索した人に訴求する「リスティング広告」です。また、自社プロダクトに興味・関心を持ってサイトに訪れた人や、類似のサービスやプロダクトを閲覧した人に対して訴求する「ターゲティング広告」などもあります。リアルでは、興味・関心の高い人が訪れる展示会や相談会、過去接点のあった見込み客へのDM（ダイレクトメッセージ）やメールマガジンなども有効かもしれません。法人向けのプロダクトの場合は、上記のようなアプローチでリードを獲得した後、インサイドセールスやフィールドセールスを通じてプロダクトを紹介する機会を作っていくことも必要になるでしょう。

一方で、顕在化していない「潜在層」にアプローチする例としては、PR（広報）を通じたメディアへの露出や記事広告などの出稿、FacebookやTwitterなどのSNS広告などがあります。リアルの場合はチラシ・ポスティングやDM（ダイレクトメール）や各種紙媒体などでの広告、想定顧客に直接アウトバウンドで行うフォームマーケティングやメールマーケティング、テレマーケティングなども含めて、さまざまなアプローチが想定されます。

新規事業の場合は顧客の需要や課題が顕在化していないことも多く、顕在層に対するアプローチだけでは不十分な面があります。むしろ、いかにして潜在層にアプローチし、良質な初期顧客を発見するかが成否を分けることが多いのです。一見、非効率に見える地味で泥臭くなりがちな潜在層へのアプローチこそが、結果的には効率的なアプローチとなり得るのが、新規事業開発の難しくも面白いところです。

もちろん、予算をなるべくかけずに顧客との接点を増やすのが理想です

図表 チャネルや訴求するコンテンツ・情報を検討するマトリクスのイメージ

ターゲットやアプローチするチャネルと
訴求するプロダクトの価値やコンテンツ・情報を
網羅的に検討・検証しながら効率的な
初期顧客獲得の勝ち筋の発見に努める

			オンライン	
			顕在層向け	準顕在層向け
プロダクト／サービス	提供価値①	訴求／コンテンツA		
		訴求／コンテンツB		
		訴求／コンテンツC		
		…		
	提供価値②	訴求／コンテンツA		
		訴求／コンテンツB		
		訴求／コンテンツC		
		…		
	提供価値③	訴求／コンテンツA		
		訴求／コンテンツB		
		訴求／コンテンツC		
		…		
	…	…		

出典：筆者作成

が、その分、手間ヒマをかける必要があり、相応の人手や工数がかかる可能性も強まります。予算がかからない代わりに、良質な初期顧客を見つけるまでに多大な時間を要するリスクもあります。あくまでも「目的を果たすための必要最低限に抑える」という前提に立って、広告も含めて有効だと想定されるあらゆるチャネルに対して短期間で広く薄く投資することによって、効率的な初期顧客獲得アプローチの発見に努めるのが得策だというのが筆者の考えです。

このように、多種多様なチャネルの活用を意識しながら、「訴求・発信するコンテンツや情報」のパターンを網羅していきます。訴求・発信するパターンは主にプロダクトが解決する課題や提供する価値、もしくは特徴のあるユニークな機能やサービスなどに焦点を当て、さまざまな「切り口」で幅出ししていきます。

チャネル／ターゲット

		オフライン		
	潜在層向け	顕在層向け	準顕在層向け	潜在層向け

この「チャネル×コンテンツ・情報」の組み合わせを網羅した上で、優先度が高いところからアプローチしていくのです。

事業内容やビジネスモデルによって最適な指標は異なりますが、初期顧客を獲得する面で効果的なアプローチかどうかは、次ページの図表の左端枠内に記載した指標を用いて判断します。

Launch(2) 顧客が満足するプロダクトの提供と良質な初期顧客の発見が実現できるか

網羅的なチャネル活用や情報・コンテンツの訴求や発信によって顧客との接点を創出・拡大してプロダクトを提供することができたら、次はそのプロダクトによって実際に顧客が課題を解決して満足できたかどうか、ま

図表 初期顧客獲得におけるKPI

新規事業開発においてKFSを見極め、KPIを設定する際のポイント

	初期顧客獲得フェーズ	獲得した顧客の定着フェーズ	事業の拡大／収益化フェーズ
確認・クリアすべき点	事業やプロダクトにおける初期の顧客を獲得するフェーズ **→顧客の受容性があるか** **（欲しい／買いたいと思われるか）**	顧客に継続利用してもらい定着／ファン化するフェーズ →解決策としての有効性があるか（継続して利用したいか／定着するか）	事業として顧客基盤を拡大し収益を上げるフェーズ →事業に拡張性や収益性があるか（拡大するか、利益が上がるか）
KPI設計の観点（重要ポイント）	・顧客が認知／利用する接点があるか ・顧客が購買決定する基準を満たすか ・新規顧客の獲得効率がよいか など	・顧客が満足する基準を満たすか ・顧客に再利用／紹介されるか ・顧客が定着する効率がよいか など	・事業拡大のポテンシャルがあるか ・収益が上がる構造を作れているか ・収益化／利益創出の効率がよいか など
上記を踏まえたKPIの例	・MAU／WAU／DAUなどのトラフィック指標 ・インバウンドリード獲得数 ・有効リード数／有効リード割合 ・新規アポイント獲得数／訪問数 ・案件化率／商談化率 ・imps／CTR／CPM／CPCなどの広告指標 ・会員登録率／直帰率／離脱率 ・新規成約率／登録完了率 ・新規購入CVR ・CPA／CPI／CAC　など	・顧客満足度／継続利用意向／NPS ・再訪率／リピート購入率／継続率 ・Churn Rate（解約率） ・CRR（顧客定着率） ・継続利用期間 ・既存顧客の割合 ・紹介率／1人あたりの紹介数 ・滞在時間／回遊率 ・利用頻度／購入頻度 ・既存成約率／既存購入CVR ・LTV　など	・総顧客／ユーザー／会員の数 ・導入者（社）数／利用者（社）数 ・有償化率／有料会員割合 ・MRR／ARR ・成長率（月次／年次） ・顧客単価／ARPU ・市場におけるシェア ・粗利率／原価率 ・営業利益率／EBIT／EBITDA ・LTV／CAC比率 など

出典：筆者作成

た満足してくれる顧客はどのようなセグメントなのかを検証する必要があります。では、顧客が満足したかどうかを客観的かつ定量的に測るためには、どのようなアプローチが有効でしょうか。

一般的には、顧客へのアンケートやインタビューといったユーザー調査や、顧客ロイヤルティーを数値化するNPS（ネット・プロモーター・スコア）などがよく用いられます。これらの指標は一定の参考値としては機能しますが、数値や指標が高くても顧客の継続的な利用につながらない、口コミや拡散が起こらずに顧客数が自然発生的に拡大していかないことも、よくあります。

より高い精度でプロダクトを評価するならば、やはり顧客の実際の利用・購買状況に関するログやデータを活用するほかありません。顧客が満足してくれたかどうか、継続的に利用してくれた、口コミで拡散してくれたなどは、継続利用率や利用頻度、紹介・拡散率などに代表される下記の図表の中央枠内に記載した指標を用いて評価します。

これらの指標で、プロダクトの満足度や、優良な顧客・良質な初期の顧客を高い精度で把握することができます。ここで十分な満足度や継続利用・購買を実現できなければ、顧客の声やフィードバックを反映しながら

図表 顧客満足・継続におけるKPI

新規事業開発においてKFSを見極め、KPIを設定する際のポイント

	初期顧客獲得フェーズ	獲得した顧客の定着フェーズ	事業の拡大／収益化フェーズ
確認・クリアすべき点	事業やプロダクトにおける初期の顧客を獲得するフェーズ →顧客の受容性があるか （欲しい／買いたいと思われるか）	顧客に継続利用してもらい定着／ファン化するフェーズ **→解決策としての有効性があるか** **（継続して利用したいか／定着するか）**	事業として顧客基盤を拡大し収益を上げるフェーズ →事業に拡張性や収益性があるか （拡大するか、利益が上がるか）
KPI設計の観点（重要ポイント）	・顧客が認知／利用する接点があるか ・顧客が購買決定する基準を満たすか ・新規顧客の獲得効率がよいか など	・顧客が満足する基準を満たすか ・顧客に再利用／紹介されるか ・顧客が定着する効率がよいか など	・事業拡大のポテンシャルがあるか ・収益が上がる構造を作れているか ・収益化／利益創出の効率がよいか など
上記を踏まえたKPIの例	・MAU／WAU／DAUなどのトラフィック指標 ・インバウンドリード獲得数 ・有効リード数／有効リード割合 ・新規アポイント獲得数／訪問数 ・案件化率／商談化率 ・imps／CTR／CPM／CPCなどの広告指標 ・会員登録率／直帰率／離脱率 ・新規成約率／登録完了率 ・新規購入CVR ・CPA／CPI／CAC など	・顧客満足度／継続利用意向／NPS ・再訪率／リピート購入率／継続率 ・Churn Rate（解約率） ・CRR（顧客定着率） ・継続利用期間 ・既存顧客の割合 ・紹介率／1人あたりの紹介数 ・滞在時間／回遊率 ・利用頻度／購入頻度 ・既存成約率／既存購入CVR ・LTV など	・総顧客／ユーザー／会員の数 ・導入者（社）数／利用者（社）数 ・有償化率／有料会員割合 ・MRR／ARR ・成長率（月次／年次） ・顧客単価／ARPU ・市場におけるシェア ・粗利率／原価率 ・営業利益率／EBIT／EBITDA ・LTV／CAC比率 など

出典：筆者作成

プロダクトを改善し、顧客が満足して継続的に利用・購買してくれるまで価値を磨き続ける必要があります。

Launch(3) 発見した良質な顧客は、継続して獲得を続けて顧客基盤を拡大できるか

顧客が満足するプロダクトを提供し、良質な初期顧客が発見できたら、その後も顧客を獲得し、定着させ続けることで顧客基盤を拡大できるかどうかを確認する必要があります。仮に良質な初期顧客の定義やアプローチ方法が見つかっても、それが非常にニッチで限定された一部の顧客にしか当てはまらない、もしくは一過性で長続きしないものであれば、継続的な顧客の獲得と定着を繰り返すことができません。この段階で良質な初期顧客を継続的に獲得する拡張性があるかどうかを検証することが重要です。

良質な初期顧客の拡張性は、右ページの図表の右端枠内に記載した指標を用いて判断します。

・適切なKPI設計を実現するには?

「⑥Launch」プロセスの最後に、この段階で精度の高い設計をすることで事業開発プロセスの推進に役立つKPIについて、解説をしておきます。適切なKPIを設計することで、事業が順調に進捗しているか、仮説検証を正しく回せているかなどの重要な評価や判断の精度を高められるからです。このKPI設計は「⑥Launch」の段階では必ず、事業計画に基づいて明確に定量化され、プロジェクトチーム内で共通認識として浸透している必要があります。

KPIを適切に設計するためには、新規事業開発に取り組む目的やゴールを定義し、そこから逆算して達成に向けたプロセスを測る指標(KPIの候補になる指標)を網羅していくことが重要です。これは目的やゴールから「因数分解」のようにひもといて各KPIを設定していき、それらを達成することができれば、その先にある目的やゴールへ至ることができるという構造を指しています。

図表 良質な初期顧客や事業の拡張性に関するKPI

新規事業開発においてKFSを見極め、KPIを設定する際のポイント

	初期顧客獲得フェーズ	獲得した顧客の定着フェーズ	事業の拡大／収益化フェーズ
確認・クリアすべき点	事業やプロダクトにおける初期の顧客を獲得するフェーズ →顧客の受容性があるか（欲しい／買いたいと思われるか）	顧客に継続利用してもらい定着／ファン化するフェーズ →解決策としての有効性があるか（継続して利用したいか／定着するか）	事業として顧客基盤を拡大し収益を上げるフェーズ **→事業に拡張性や収益性があるか** **（拡大するか、利益が上がるか）**
KPI設計の観点（重要ポイント）	・顧客が認知／利用する接点があるか ・顧客が購買決定する基準を満たすか ・新規顧客の獲得効率がよいか など	・顧客が満足する基準を満たすか ・顧客に再利用／紹介されるか ・顧客が定着する効率がよいか など	・事業拡大のポテンシャルがあるか ・収益が上がる構造を作れているか ・収益化／利益創出の効率がよいか など
上記を踏まえたKPIの例	・MAU／WAU／DAUなどのトラフィック指標 ・インバウンドリード獲得数 ・有効リード数／有効リード割合 ・新規アポイント獲得数／訪問数 ・案件化率／商談化率 ・imps／CTR／CPM／CPCなどの広告指標 ・会員登録率／直帰率／離脱率 ・新規成約率／登録完了率 ・新規購入CVR ・CPA／CPI／CAC　など	・顧客満足度／継続利用意向／NPS ・再訪率／リピート購入率／継続率 ・Churn Rate（解約率） ・CRR（顧客定着率） ・継続利用期間 ・既存顧客の割合 ・紹介率／1人あたりの紹介数 ・滞在時間／回遊率 ・利用頻度／購入頻度 ・既存成約率／既存購入CVR ・LTV　など	・総顧客／ユーザー／会員の数 ・導入者（社）数／利用者（社）数 ・有償化率／有料会員割合 ・MRR／ARR ・成長率（月次／年次） ・顧客単価／ARPU ・市場におけるシェア ・粗利率／原価率 ・営業利益率／EBIT／EBITDA ・LTV／CAC比率 など

出典：筆者作成

具体例として、ベビー用品や子供服関連のネット通販（EC）サイトの新規事業の場合のイメージをまとめたのが次ページの図表です。

わかりやすく簡略化していますが、例えば「子供服業界のEC市場におけるリーディングカンパニーになる」という定性的ゴールを設定します。それが達成できた状態を、定量的な指標で定義することで、どの程度の数字になっているのが妥当かを考え、それを目標とすることでKGIを定義します。このケースでは、リーディングカンパニーの定義を「ECサイト上の流通額が◯◯億円ある状態」と設定しました。このようにして設定したKGIを因数分解してロジックツリーのような形で整理していくことで、

図表 ECの新規事業開発におけるKPI設計・因数分解の例

定性的なゴールからKGIを定義し、KGIを因数分解してKPI候補を網羅する

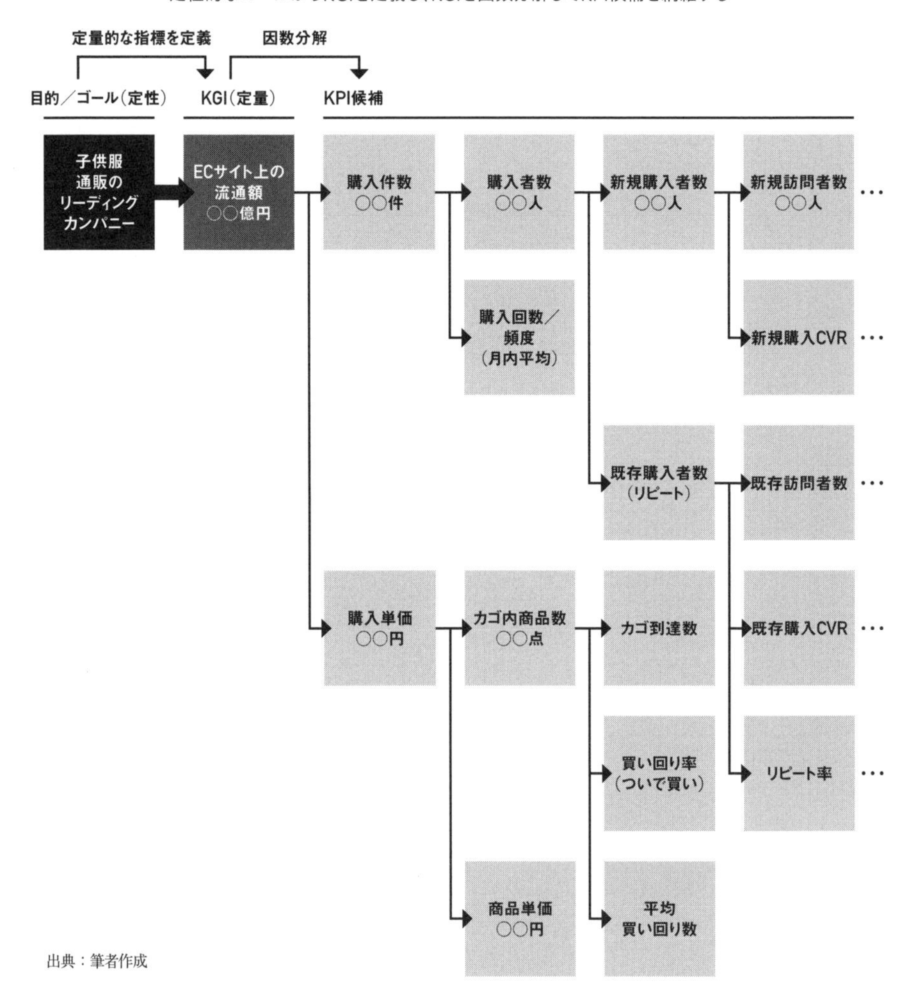

出典：筆者作成

KPI候補となる指標を網羅的に抽出することができます。

企業によってはこのような定性的な状態としてのゴール設定をせずに、KGIだけが明確化されているケースもあります。この3点が整理されていることで、事業に取り組む「Why（なぜ取り組むのかという目的や意義）」「What（何を実現・達成するのか）」「How（どうやって・どのようなプロセスを経て）」というストーリーが生まれ、プロジェクトやチーム全体で共通認識を持って推進することが可能になります。そのため、なるべく初期の段階から設計しておくことが望ましいといえます。

・新規事業フェーズごとの成功要因を踏まえたKPI設計

次に、網羅的に抽出したKPI候補となる指標の中から、「事業の成否に直結しやすい重要な指標」を選び出し、それらをKPIとして設計していきます。新規事業開発は基本的に少ない予算や人的リソースで進めていくことが必要になるので、限られた貴重なリソースですべての指標を向上させるための施策を実行していくことは大変難しく、かつ非効率です。ゆえに、どの指標をKPIとして設定し、どこにリソースを集中させるかは非常に重要な意思決定であり、「何を重視しないか」を考えることは「何を実施しないか」を決めることでもあります。

KPIを設定する上で、手掛けている新規事業における重要な成功要因であるKFSを的確に把握する必要があります。事業成功のカギとなるKFSを実現するにあたり、影響度が大きい指標をKPIとして設定することで、実行を的確にマネジメントすることが可能になります。

一方で、ゼロから新規事業を立ち上げて成長させ、最低限の目標となる収益化（黒字化）を果たしていく場合は、どのような事業でも共通してクリアしなければならないポイントがあるのも事実です。実際にKFSを見極め、KPIを設定していく場面では、次ページの図表にある考え方が参考になるでしょう。

それぞれのフェーズにおいて「確認・クリアしなければならないポイン

図表 事業フェーズやKFSに応じたKPI設計のイメージ

新規事業開発においてKFSを見極め、KPIを設定する際のポイント

	初期顧客獲得フェーズ	獲得した顧客の定着フェーズ	事業の拡大／収益化フェーズ
確認・クリアすべき点	事業やプロダクトにおける初期の顧客を獲得するフェーズ **→顧客の受容性があるか** **（欲しい／買いたいと思われるか）**	顧客に継続利用してもらい定着／ファン化するフェーズ **→解決策としての有効性があるか** **（継続して利用したいか／定着するか）**	事業として顧客基盤を拡大し収益を上げるフェーズ **→事業に拡張性や収益性があるか** **（拡大するか、利益が上がるか）**
KPI設計の観点（重要ポイント）	・顧客が認知／利用する接点があるか ・顧客が購買決定する基準を満たすか ・新規顧客の獲得効率がよいか など	・顧客が満足する基準を満たすか ・顧客に再利用／紹介されるか ・顧客が定着する効率がよいか など	・事業拡大のポテンシャルがあるか ・収益が上がる構造を作れているか ・収益化／利益創出の効率がよいか など
上記を踏まえたKPIの例	・MAU／WAU／DAUなどのトラフィック指標 ・インバウンドリード獲得数 ・有効リード数／有効リード割合 ・新規アポイント獲得数／訪問数 ・案件化率／商談化率 ・imps／CTR／CPM／CPCなどの広告指標 ・会員登録率／直帰率／離脱率 ・新規成約率／登録完了率 ・新規購入CVR ・CPA／CPI／CAC　など	・顧客満足度／継続利用意向／NPS ・再訪率／リピート購入率／継続率 ・Churn Rate（解約率） ・CRR（顧客定着率） ・継続利用期間 ・既存顧客の割合 ・紹介率／1人あたりの紹介数 ・滞在時間／回遊率 ・利用頻度／購入頻度 ・既存成約率／既存購入CVR ・LTV　など	・総顧客／ユーザー／会員の数 ・導入者（社）数／利用者（社）数 ・有償化率／有料会員割合 ・MRR／ARR ・成長率（月次／年次） ・顧客単価／ARPU ・市場におけるシェア ・粗利率／原価率 ・営業利益率／EBIT／EBITDA ・LTV／CAC比率 など

出典：筆者作成

ト」「KFSを見極める上での観点」を抽出し、それらを踏まえた上で新規事業開発において頻出するKPIの例を記載しています。KPIを向上させていくこうした施策を実行し、図表の3つのステップをクリアすることで、事業としての最低限の目的を果たせる水準まで推進することが可能になります。

このように「⑥Launch」プロセスでは、網羅的な「チャネル×コンテンツ・情報」を活用したアプローチを通じて良質な初期顧客を発見し、その定義に当てはまる顧客の拡張性を確認することで、プロダクトとして最初に注力すべき顧客や市場を検証することを目指します。検証の結果、明

確になった顧客や市場に対して効率的にプロダクトを提供するアプローチを継続しながら、拡大する顧客からの声やフィードバックを反映しつつ改善を続けていきます。

7つの検証項目D）「事業性・収益性」（Feasibility）

次に、7つある検証項目のうちD）「事業性・収益性」（Feasibility）の検証について詳細を見ていきましょう。このプロセスはシンプルで、「⑦Monetize（マネタイズ）」＝事業として継続的に収益を上げられる構造や状態を作ることができるかどうかを検証します。

⑦Monetize～プロダクトを提供・販売して収益化する

この「⑦Monetize」プロセスでは、プロダクトを提供・販売する顧客を拡大しながら、合わせて収益も拡大していく状態を作ることを目指します。⑥Launchの後で初期の顧客獲得に成功しても、顧客数を拡大できないとか、顧客数が増えても収益が上がらない構造になっていると、事業性や収益性の観点では厳しくなります。事業としての継続は難しいと判断せざるを得ません。裏を返すと、顧客数が増えて収益が拡大する基盤が整えば、顧客獲得のためのマーケティング投資が可能になり、事業は加速度的な成長が見込めます。この状態を「ユニットエコノミクス（Unit Economics）が成立している」と表現します。

ユニットエコノミクスとは、ユニット単位での事業の経済性を測定・管理する考え方です。「顧客1人あたりの経済性・採算性」を示す重要な指標です。

ユニットエコノミクスは、顧客が生涯にわたってその企業にもたらしてくれる収益である「LTV」と、1人あたりの顧客を獲得するためのコストである「CAC」という2つの指標を用いて算出し、成立しているかどうかを確認します。LTVとは、「顧客がその事業やサービスに対し、生涯で平均してどの程度の対価・金額を支払い、どの程度の利益貢献をしてくれるか」を表した指標です。ビジネスモデルによっても異なりますが、基本的には「平均購買単価×年間平均購買頻度×粗利率／年間離反（解約）率」で算出することができます。一方でCACとは、「顧客を獲得するために平均してかかった費用」を指します。CACは「顧客獲得にかかった費用／獲得顧客数」で算出します。

原則として「LTV＞CAC」＝「LTVがCACを上回る構造」を作り出すことができれば、理論上はマーケティングコストを投下して顧客数を拡大したとしても、最終的に収益化できる状態と考えられます。つまり、「新規事業開発が収益化に向けて軌道に乗った」と判断することができるので、大きく予算やリソースを確保・投下することで事業の成長・拡大や利益創出を一気に推し進めることができる状態といえます。

また、「ユニットエコノミクス ＝LTV÷CAC」の式で算出することができますが、理想は「LTV＞CAC」の状態にするだけでなく、上記の計算式による数値が高いほど優れているといえます。なぜならLTVもCACも事業を運営する中で日々変動する指標であり、特にCACは顧客拡大に向けてマーケティング投資をしてチャネルやコンテンツを拡張しようとすると、効率が損なわれて数値が悪化することが往々にして起こり得ます。結果として、LTVがわずかにCACを上回っている程度では、すぐに数値が逆転してしまい、LTV＜CACの状態に陥る可能性があります。

そのため、なるべくユニットエコノミクスの数値が優れていてLTVが余裕を持ってCACを上回っていることが理想です。ビジネスモデルやプロダクトを販売した際の粗利率や回収までの期間などによっても異なりますが、できればLTVがCACの3倍以上、少なくとも2倍以上の状態になるまでは、原則として大きな投資は控えたほうがよいと筆者は考えています。ただし、事業の性質によってはこの段階で収益性を求めるよりも、シェアやネットワーク効果の拡大、競争優位性の強化などのグロースを優先すべき例外も一部存在します。

図表 ユニットエコノミクスの成立に向けて「LTV ＞ CAC」の構造を作る

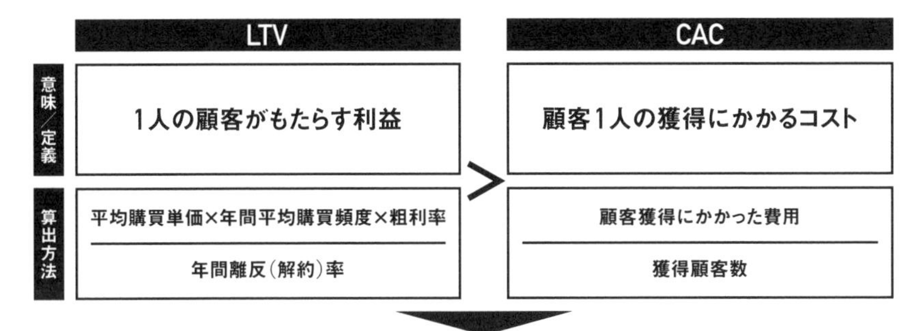
LTV ＞ CACの構造を作ることがKPI運用において最重要
LTV
CAC
意味／定義
1人の顧客がもたらす利益
顧客1人の獲得にかかるコスト
算出方法
平均購買単価×年間平均購買頻度×粗利率
年間離反（解約）率
顧客獲得にかかった費用
獲得顧客数
事業を継続して収益化し、大きく投資して事業拡大を加速するために
常に上記を意識したKPIの運用が重要

出典：筆者作成

・ユニットエコノミクスの成立を目指してKPIを設計／運用する

ユニットエコノミクスを成立させるためには、事業リーダーやプロジェクトチームは「LTVの最大化」と「CACの最小化」を目的としたKPIを設計し、それらを向上させるための活動を行っていく必要があります。特にLTVやCACなどの指標は、顧客の獲得チャネルや顧客獲得数、マーケティングコストの配分など、さまざまな要因から影響を受けて日々変化しやすいものです。そのため、進捗をリアルタイムかつ正確に計測し、プロジェクトメンバー全員の認識に差が出ないように把握して可視化することが重要になります。

・KPI改善のためのリソース配分

KPIをリアルタイムかつ正確に計測・可視化して把握できる状態を作ることは不可欠ですが、日々のタスク実行を通じてKPIが実際に改善され向上し続けていかなければ、ユニットエコノミクスを成立させることはできません。それには、「設定したKPIの向上を阻害する要因」の仮説を立てて洗い出し、より影響の大きそうな要因から改善に着手していくことが必要です。またKPIの改善に向けて、どのような人材やリソースが必要になるかを判断するため、「求められるスキルや経験などの要件」を定義しておくこともおすすめします。これにより適切な人材をアサインすることが可能になり、KPIの改善や向上をチーム全体として効率的にマネジメントしていけるようになります。

前述したネット通販の新規事業開発を例にKPIの関連指標を整理したものが右ページの図表です。

例えば、LTVを向上させる指標の1つとして、顧客の「購入単価」をKPIに定めたとします。この図表は簡略化してありますが、「合わせて買うべき商品が見つからない」「複数購入のメリットがない」「あといくら買えば送料無料になるのかわかりにくい」などのようにKPIを阻害する要因を仮説として立て、それらを解決するための施策・アプローチを抽出していくと、それぞれの施策を実施するために求められる要件が非常に多様になっていくのがわかると思います。

これらの要件を満たすための人材やリソースをアサインすることが、最適な実行体制の構築につながります。要件が明確になれば社内やチーム内であっても適任者を探索・発見することが容易になり、仮に社内で適任者がアサインできなかった場合においても、最適な外部パートナーやリソースを選定する際の基準にすることができます。改善や問題解消に注力すべきKPIが複数ある時には、施策・アプローチごとにリソースをアサインすることよりも、KPIごとにその改善や向上に責任を持つオーナーをアサインして裁量と権限を委譲したほうがスムーズに進められるケースも多くあります。

また、リソース配分で資金的な余裕があるかどうかも重要です。事業構想に時間や資金をかけすぎた挙げ句、事業創出・事業化フェーズのプロセスに十分な資金を回すことができずに「実行の段階で新規事業開発に失敗する」企業が現実にとても多いことを、改めて心に留めておく必要があり

図表 ECの新規事業開発におけるKPIの改善・向上に向けたアプローチ例

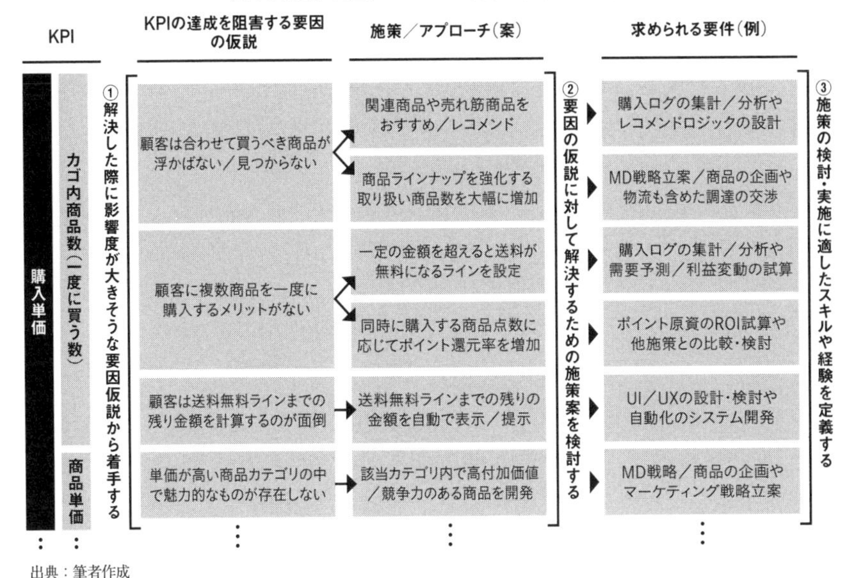

出典：筆者作成

ます。適切なKPIの設計と、それに伴う運用マネジメントやアサインメント、リソース配分は、新規事業開発におけるエグゼキューション（実行）能力の中核を担う重要な要素です。

・CACの最小化よりも、LTVの最大化を優先する

前述のとおり、ユニットエコノミクスの成立のためには「LTVの最大化」と「CACの最小化」の双方が必要になります。どちらも重要な取り組みですが、限られた予算やリソースの中で、まず優先すべきは「LTVの最大化」です。

このフェーズの新規事業開発においては、顧客獲得の効率性よりも、スピーディーに顧客基盤を拡大してシェアを獲得したり、生の声やフィードバックをくれる顧客基盤を最大化したりするほうが後の事業拡大を加速するためにも有効です。また、LTVが向上することで許容できるCACも向

上するため、より多くのコストをかけてさまざまなマーケティング手法やチャネルを試みることができます。結果として効率的な手法やチャネルを見つけたり、顧客への認知度を向上させたりすることでCACは下げやすくなります。まずは「LTVの最大化」に注力した後、「CACの最小化」に着手することで、ユニットエコノミクスの成立を目指す。これが「⑦Monetize」のプロセスにおける鉄則です。

このように、「⑤Development」と「⑥Launch」のプロセスを通じて、新規事業開発の7つの検証項目であるC)「製品と市場」(Product & Market) を検証し、「⑦Monetize」のプロセスを通じてD)「事業性・収益性」(Feasibility) を検証するまでが「■2・Creation (事業創出・事業化) フェーズ」です。

このフェーズで目指すべき状態をクリアしたら、いよいよ最後の「■3・Complete (成長・拡大〜完成) フェーズ」へと進みます。

3
Complete（成長・拡大〜完成フェーズ）

「■2・Creation (事業創出・事業化) フェーズ」を経たものを、①事業として大きく成長・拡大させて②新規事業としてのプロセスを卒業し、既存事業として企業全体の中核領域を担う存在として完成させて③全社的な貢献を果たすことを目指す――のが、最後の「■3・Complete (成長・拡大〜完成) フェーズ」です。このフェーズまで来ると取り組んできた新規事業もだいぶ軌道に乗り始めており、不確実性も低く、既存事業へと近づいていきます。このフェーズでは、いかに成長や拡大を最大化させ、全社のビジョンやインキュベーション戦略に対して貢献を果たしていくかが主な論点になります。

事業創出・事業化フェーズと比較しても、正式に提供を開始しているプロダクトの利用・販売実績、顧客データなどを元に、どの程度の投資を実行すればどの程度のリターンが期待できるか、などの計画も立てやすくなります。そのため、大きな投資を行う意思決定がしやすくなるフェーズともいえます。

企業内新規事業の場合、さまざまな制約の中でここまで来るのが非常に困難なわけですが、このフェーズから先は小回りが利き不確実性に強いベンチャーやスタートアップ企業のアドバンテージが小さくなり、むしろ既存の経営資源や豊富なリソースがある企業内新規事業、特に大企業における新規事業のアドバンテージが大きくなります。ベンチャー企業やスタートアップは、ここから伸び悩むことも多く、大企業との競争で苦戦を強いられるケースも目立ちます。そのため大企業がこのフェーズまで来たベンチャー・スタートアップに出資したり、M＆Aで自社グループに取り込んだりして、自社の経営資源やリソースと掛け合わせて大きく成長させる例が多いのです。

このフェーズからは大きな投資をする意思決定ができる企業でないと、機会を逸したり、競争に破れて後塵を拝したりすることになるリスクが高くなります。

本フェーズでは、新規事業開発における7つの検証項目のうち、3つの検証対象が存在します。

1つ目はE)「成長・拡大可能性」(Scalability) で、投資によって事業を成長・拡大させることが可能か、どの程度の成長や拡大が見込めそうか、という観点での検証です。

2つ目はF)「持続可能性」(Sustainability) で、持続的に成長していける構造を作ることが可能か、中長期的な成長が見込めそうか、という観点で検証していきます。

3つ目はG)「戦略との親和性」(Unifiability)で、新規事業という枠組みを卒業し、企業にとっての中核領域に位置づけられる既存事業へと進化させられるか、中核領域の事業として全社におけるビジョンや戦略の実現に対して貢献性を高めることができるかどうか、という観点で検証を進めます。

各々について、どのようなプロセスを経ていくべきか、見ていきましょう。

7つの検証項目
E)「成長・拡大可能性」(Scalability)

E)「成長・拡大可能性」(Scalability)の検証は、投資によって事業を成長・拡大させる「⑧Growth」のプロセスを通じて進めます。前述のユニットエコノミクスが成立した状態になっていれば、理論上は投資を増やすことで顧客数を拡大し、収益も成長させられることになります。しかし、実際は顧客数を拡大するためには「初期顧客とは異なるセグメント」にいる顧客層を取り込むため、さまざまなチャネルを通じてアプローチしていかなければならず、その過程でLTVやCACなどのKPIが悪化するリスクもあります。そもそも、顧客数が想定していたよりも伸びないという事態も十分に起こり得るのです。

だからこそ、十分な投資をした時に「事業がどの程度の成長・拡大可能性を秘めているか」「十分な規模を持つ事業へとスケールすることができるか」を検証することが重要なのです。

⑧Growth～投資によって事業を成長・拡大する

このプロセスでは、投資によって対象とする市場や顧客を拡大して事業規模が成長しても、事業性や収益性が担保できている状態を目指し、その中で当該事業がどの程度の成長・拡大可能性(スケーラビリティー)を秘めているのかを見極めていきます。

・何をもって、どのように成長・拡大可能性を見極めるか

成長・拡大の可能性を検討する際は、大きく2つのアプローチがあります。

1つは、マクロな市場観点から検討するアプローチ。もう1つは、現状のKPIの数値や進捗などのミクロなデータに基づいて積み上げて検討するアプローチです。どちらのアプローチも重要であり、事業のフェーズや事業特性などに合わせて柔軟に双方を活用しながら精度を上げていくことが重要です。

成長・拡大可能性を見極めるには、以下に説明する「TAM」「SAM」「SOM」などの概念や指標を用いることが有効です。

TAMは「Total Addressable Market（対象となる市場全体）」、つまり市場におけるプロダクトの総需要のことを指します。ここでは、プロダクトと直接的に競合するものを包含した総需要のほかに、同じ需要を満たす代替品となるようなプロダクトの市場規模も考慮する必要があります。例えば、自社が展開するプロダクトがオンラインの国内ホテル予約サイトなら、国内の宿泊予約の市場規模をTAMと定義してもよいでしょう。

SAMは「Serviceable Addressable Market（実際にサービスを提供できる市場）」の略で、実際に自社のプロダクトがアプローチできる市場規模のことを指します。つまりTAMの中で「実際に自社の顧客になってくれる層の市場規模」と言い換えることもできます。例えば、新卒人材採用市場をTAMと定義した場合には、学部卒なのか修士・博士なのか、理系なのか文系なのかによって市場規模は異なります。SAMは、自社プロダクトの特徴や主要な顧客セグメントなどを鑑みて、実際にアプローチできる市場規模を定義するのがポイントです。

SOMは、事業の検討状況や進捗によって2つの意味で使われます。

1つ目は「Serviceable & Obtainable Market（実際に獲得できる市場）」で、実際にアプローチして獲得が見込める市場規模のことを指します、これは「事業における当面の売上目標」と言い換えることもできます。

前述のSAMはアプローチ可能な市場ですが、競合やその他の代替手段なども存在するため、実際には市場のすべてを獲得するのは不可能です。そこで、より現実的な市場規模を定義して、実際の事業規模を図るための概念といえます。まだ新規事業開発の初期段階で、事業化や事業展開が行われていない状況下では、こちらの意味のSOMを用います。

2つ目のSOMは「Share Of Market（獲得できている市場）」のことで、展開している事業が実際に獲得できている市場、つまり売上高やGMV（Gross Merchandise Value＝流通総額）のことを指します。これを算出することで、SAMの範疇で現在は何％を獲得しているのか、あと何倍くらい獲得できるのか、などを検討できるようになります。新規事業開発の事業化や事業展開を進める過程では実際のデータや実績を基に、より精度の高い算出が可能になるため、こちらの意味のSOMを用います。

このTAM、SAM、SOMは事業構想フェーズの終了段階や、初期の事業プラン策定時でも必須ではありますが、その段階では数字の精度や信憑性が高いとはいえません。不確実性の低い隣接領域の新規事業に関するものであればまだしも、不確実性の高い周辺領域や革新領域の新規事業の場合は特に市場の定義や顧客セグメントも曖昧で未確定のものが多く、高い精度で算出することは困難です。そのため、事業フェーズが進捗して算出にあたっての有効な情報やデータが増えてくるのに合わせて、定期的にTAM、SAM、SOMを見直していく必要があります。

Complete（成長・拡大〜完成）フェーズまで進んでいる事業であれば、一定の精度は実現可能であり、改めて本プロセスの中で算出していくことが重要です。

マクロな観点では、短期的にはSAMに占めるSOMの割合が小さく、数字の乖離が大きいほど伸び代が大きいといえますし、中長期的にはTAMに占めるSAMの割合が小さく、数字の乖離が大きいほどポテンシャルが高いと考えることができます。

一方で、ミクロな観点ではSOM(Share Of Market)や現状のKPIな

図表 TAM・SAM・SOMの概念について

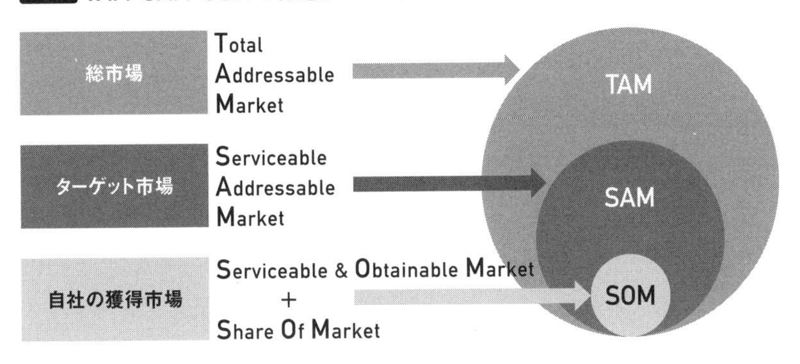

出典：筆者作成

どを起点にして、投資によって各種KPIの向上がどの程度で見込めるかを検証していきます。そのために、SAMにおいてSOMが占める割合を向上させるための顧客数の拡大に向けた投資を行います。この結果として、顧客獲得に関連するKPIの成長率を維持・向上しつつ、かつユニットエコノミクスが成立している状態を担保できるかどうかが論点となります。

・何に対して、どの程度投資するべきか

事業内容やビジネスモデル、自社プロダクトが身を置く産業や環境によって目指す顧客拡大ペースの基準は異なりますが、ここで重要なのは「収益性をなるべく担保しながら顧客数の拡大スピードを最大限に高める」ことです。顧客獲得効率がよくても、顧客獲得数が少なく、シェア拡大への影響が小さければ意味がありません。効率だけを重視して、一部のチャネルや手法のみに依存するのでは不十分です。テレビCMなどのマス広告も含めたあらゆるチャネルや手法を検討する必要があります。

一方、顧客獲得数が増大してシェア拡大への貢献が大きくても、顧客が増えるほど赤字になるなど回収できないほどの資金を投資することは、前述のようなユニットエコノミクスよりもグロースを優先すべき一部例外を除き、基本的には企業内の新規事業としては不適切です。このバランスに

注視しながら、顧客獲得のためにどのように投資していくかを判断します。

このプロセスでは、仮に特定のチャネルや手法においてはCACが高騰し、ユニットエコノミクスが成立しない場合でも、すべてのチャネルや手法の総合で捉えた結果として「収益性が担保できていればよし」とする寛容さも必要になります。あるアプローチではCACが高くても大量の顧客獲得が期待でき、別のアプローチでは顧客獲得数は少ないもののCACが低く効率的に獲得できるため、総合すると「LTV＞CAC」の状態を担保したまま顧客数を最大化できることも十分にあり得ます。アプローチごとの細かい数字を気にするあまり、事業成長の機会を逸しては元も子もありません。

投資をすることで顧客数やシェアが急拡大しても、収益性を担保することができて初めて事業を正しく拡大・成長できたといえます。この「⑧Growth」のプロセスでは、その状態を実現できるかどうかを見極めるために思い切った投資を伴う挑戦をしなければならないのです。

7つの検証項目
F)「持続可能性」(Sustainability)

事業の拡大・成長可能性が証明できた後は、その成長が安定的に、中長期にわたって持続可能かどうかを検証します。この「サステナビリティ」が維持できる状態を実現できれば、新規事業開発の枠組みを卒業し、会社としては他の既存事業と同様の位置づけで扱うことが可能な段階まできたと見なして問題はありません。そのために、会社からの一過性の投資に頼った一時的かつ短期的な成長ではなく、自立した投資による持続的な成長を可能にする構造を目指します。

⑨Exit～持続的に成長可能な構造を作る

この「⑨Exit」プロセスでは、これまで育成対象であった新規事業の枠組みから卒業し、他の既存事業と遜色ない事業や財務状況、組織、ガバナンスやコンプライアンスを実現することを目指しながら、当該事業がサステナブルに成長できるかどうかを見極めていきます。本プロセスにおける重要な論点は、以下の3つです。

(ア)中長期的に安定した事業運営と競争力維持が可能な体制か
(イ)自立的な投資による成長で、成長率を維持できるか
(ウ)ガバナンスやコンプライアンス観点での致命的なリスクはないか

それぞれについて、詳細を見ていきましょう。

(ア)中長期的に安定した事業運営と競争力維持が可能な体制か

「⑧Growth」プロセスを経て短期的に事業を成長・拡大できたとしても、その成長や競争力を維持できる体制が構築できていないと、中長期的に安定した成長は見込めません。ここで重要なのは、事業運営に必要な機能や競争優位性の源泉をなるべく自社で保有すること。もしくは、自社でなくとも、自社がコントロール可能な状態で保有することです。

例えば、事業運営に必要な体制や競争優位性になる資産や知的財産などをパートナー企業や業務委託・アウトソーシング先に依存している状態では、先方の状況や都合によっては維持・強化が難しくなる可能性もあります。その場合は内製化を進めたり、契約で中長期的な協力を確約したり、時にはパートナー企業への出資や資本業務提携、買収なども視野に入れて対応する必要があります。アウトソーシングするべき機能や体制は、あくまでも流動性が高く、早期に他社で代替可能なものに留めておくことが得策です。

また、事業運営に必要な機能や競争優位性の源泉を自社で保有していても、それが人材、特に希少なイノベーター人材に依存している場合は対策が必要です。事業内容やビジネスモデルによっては、事業規模が大きくなったこの段階でも、ある程度その事業に関わる人材の能力やスキル、事業リーダーであるイノベーター人材の資質に依存せざるを得ないこともあります。

特に、「知識集約型」の産業＝人間による知的生産による業務の割合が大きい事業を手掛ける場合にはその傾向が顕著です。この場合、人材を安定的に採用・育成・配置できる状態を確立しなければならない一方で、容易に育成できない人材は中長期にわたって活躍してもらえる体制や枠組みを用意する必要があります。

第4章で紹介した「IRM」の考え方を前提に、イノベーター人材が流出しないようにすることは当然ですが、社内での異動や配置転換にも十分な考慮をしなければなりません。特に大企業ではジョブローテーションによる定期的な異動や配置転換が当たり前になっていますが、これによって事業のサステナビリティが失われるケースは思いのほか多いのです。人材育成の観点でジョブローテーションにより多様な経験を積ませたい企業の意図は理解できますし、特定の人材に依存する属人化を避けたいという懸念も当然でしょう。しかし、筆者の経験では実際に新規事業開発の現場で起こる異動や配置転換は、新規事業の成功という観点では時期尚早であることが圧倒的に多いというのが実感です。

優秀な事業リーダーであるイノベーター人材が、異動や配置転換によって新規事業開発プロジェクトチームから外れるタイミングが早すぎたために、事業の成長が停滞し、競争優位性を失ってしまう失敗例は後を絶ちません。あくまでも彼らが外れるタイミングは、その人材が抜けても競争優位性を維持できると確信した時であるべきだと考えます。

事業運営に必要な機能や競争優位性の源泉をなるべく自社で保有すること。もしくは自社でなくとも自社がコントロール可能な状態で保有すること。そして自社で保有していたとしても、中長期で発揮してもらうためには十分な考慮が必要であることを念頭に、体制を作り上げていきます。

(イ)自立的な投資による成長で、成長率を維持できるか

事業として安定的に成長を続けるには、成長のために必要な原資を会社

や他の事業部に依存せず、自立した投資による成長を実現する必要があります。新規事業として育成対象に位置づけられている段階では、企業全体のイノベーションのために社内の他事業や企業全体の利益を回すことも必要です。しかし、新規事業の枠組みを卒業して既存事業と同様の位置づけにステップアップするには、当該事業の損益計算書（P/L）から生み出された利益や貸借対照表（B/S）の資産を活用して捻出された原資のみで、成長できる状態を作り上げる必要があります。さらに、自立的な投資のみでもなお、それまでと同等以上の成長率を維持できることが理想です。

成長率に関しては、事業内容やビジネスモデルによって異なりますが、年平均成長率(CAGR)や月次の各種KPIの成長率によって判断していきます。この段階で自立的な成長率を維持するためには大きく3つのアプローチがあります。

1つ目は、ターゲットとする顧客セグメントを広げることです。これまでのプロセスで重視してきた特定の顧客セグメントから対象を広げ、より多くの顧客セグメントに対してプロダクトを提供していくことでさらに顧客数を拡大していきます。広げた顧客セグメントに対応するためにプロダクトで解決する課題や提供する価値を拡張するために、改善や機能追加なども必要になる可能性がありますが、既存のセグメント内においてシェアを獲得した後に、さらなる成長を目指すこの段階においては必須です。TAM／SAM／SOMでいうならば、TAMにおいてSAMが占める割合を向上させるためのアプローチであるともいえます。

2つ目は、アップセルやクロスセルを通じて顧客あたりのLTVを最大化することです。既存顧客に対して、より高付加価値で高単価なプロダクトを提供したり、プロダクトで解決する主な課題に付随する周辺課題や別の課題を解決するオプションや関連サービスを販売して顧客単価を高めたりすることでLTVの向上を狙います。これを高いレベルで実現するためには、高い継続率を前提に顧客とつながり続け、深い顧客理解・分析を通じて適切な提案や訴求を行うことが必要です。TAM／SAM／SOMでいうならば、TAM自体の定義を拡張することで規模を拡大するためのアプローチであるともいえます。

3つ目は、ネットワーク効果の組み込みやデータの蓄積などを通じて、顧客のスイッチングコストが高い状態を作り上げ、顧客基盤が自然に維持・拡大する構造を築くことです。当初から検討しておくべきことではありますが、本プロセスにおいても改めて検討する価値があり、プロセスが進んだからこそ実現できることも多分に存在します。顧客獲得のために多額の投資をし続けなくても事業が安定的に成長していくには、必須のアプローチであるといえます。

以上のようなアプローチを通じて、自立的な投資のみでこれまでと同等以上の成長率を維持できる構造の実現を目指していきます。

(ウ)ガバナンスやコンプライアンス観点での致命的なリスクはないか

事業運営に必要な体制や競争優位性を維持し、当該事業部門の自立的な投資のみで成長を担保できたとしても、ガバナンスやコンプライアンスの観点で事業運営に大きな影響を受け、事業の停止や撤退に至る可能性のあるリスクを放置していては中長期的な安定は見込めません。特定の個人に依存せずに、事業運営に携わる組織全体として正しく判断や意思決定ができる管理体制や仕組み、指示系統などを確立することで、リスクをマネジメントしながらコンプライアンスを強化し、永きにわたって事業運営を継続できる状態を作る必要があります。

特に、新規事業の場合は参入対象とする産業や市場の状況も変化が激しく、法規制なども定義が曖昧です。解釈によって判断が変わることも多いため注意が必要です。また関連する法律が改正されたり、新たに制定されたりすることも珍しくありません。当初は問題がなかったことも、事業規模が大きくなることでリスクが顕在化するケースなども生じ得るため、情報収集のアンテナを常時張っておく必要があります。

最近ではこれに加えて、企業としての倫理観や姿勢を問われる場面も増えてきました。「ゼロエミッション」や「脱炭素社会」などのキーワードに象徴されるように、CSR（企業の社会的責任）やCSV（共有価値の創造）、ESG、SDGsといった観点でも、サステナビリティを重視しなければ中長期的な事業成長は実現できない傾向が強まっています。

ここまでの3つの論点も問題なくクリアすることができれば、新規事業の枠組みを卒業し、いよいよ既存事業として全社貢献を果たすべき段階に入ります。

7つの検証項目
G）「戦略との親和性」（Unifiability）

新規事業としての枠組みを卒業し、既存事業として位置づけられるようになった後は、最終的にG）「戦略との親和性」（Unifiability）、つまり全社のビジョンや戦略にきちんと沿っているかを検証します。全社的な定性目標およびKGI／KPIに対してどの程度貢献できるかを見極めるべく、中核領域の事業として全社貢献を高めていくことを目指します。

⑩Core ～中核領域の事業として貢献性を高める

いよいよ新規事業開発における最後のプロセスとなる「⑩Core」では、中核領域の事業としてビジョンの実現や、インキュベーション戦略への貢献性を高める狙いから、全社的な定性目標やKGI／KPIを進捗・向上させることを目指します。

ここで重要になるのが全社的なビジョンと戦略です。そもそもここが明確に定義されていない場合や、KGI／KPIなどの定量的な指標に落とし込まれていない場合は、新規事業がどのような全社貢献を果たすべきかの方向性を見出す指針を失ってしまいます。第3章でも触れたとおり、まずは全社的なビジョンと戦略が定義されていることが前提で、そのうえで当該の新規事業がどのように貢献するかを検討していきます。

定量的な貢献としては、全社的に設定しているKGI／KPIの向上に加えて、ROAの改善などが直接的なものとして考えられます。売上や利益はもちろんのこと、顧客数や市場におけるシェア、もしくは時価総額などを指標とするのが適切なケースもあるかもしれません。また、他の事業のKGI／KPIに対する貢献や既存事業のROIC改善に寄与するというアプローチもあり得ます。例えば、当該事業で獲得した顧客が高い割合で他事業のプロダクトやサービスの利用・購入に移行する場合、当該事業は他事業に対する集客・送客エンジンとしての役目を果たし、他事業の顧客数やCACなどのKPIを改善する可能性があります。

一方で定性的な貢献としては、全社視点で見た際の競争優位性の源泉になるような経営資源を獲得・構築したり、人材採用や育成観点での貢献やイノベーティブな組織文化や風土の醸成、もしくは企業ブランドやイメージの向上なども考えられます。他の既存事業に活きる知見や経験、技術や知的財産、顧客基盤などを構築することで、事業シナジーを生むことなども貢献性を高めるアプローチといえるでしょう。また、事業ポートフォリオで他事業と違うポジションを取ることで全体のリスク分散を進めることや、戦略の観点から重要な役割を担うことも重要です。

このように、新規事業の枠組みを卒業して既存事業の位置づけへと昇華した事業は、全社における中核事業として進化するために全社ビジョンや戦略への貢献性を高め、他の事業とのシナジーを創出していくことが求められます。

ここまでご紹介した新規事業開発のプロセスは長く、困難や乗り越えなければならない課題や壁の連続です。ここまで到達して初めて、企業内における新規事業開発は誰の目から見ても「成功」と呼べるものになります。

ただし、成功しなかったプロジェクトがすべて無駄になるわけではありません。途中で頓挫や撤退に至ったプロジェクトでも、各プロセスを経ることで得た学びや示唆は大きく、それは他の事業、他のプロジェクトにとって貴重な財産になり得ます。全社的な貢献は現時点では不十分でも、事業単体として成立して継続的に収益が上がる状態になっていればよし、とする考え方もあります。そこまで至らずとも、事業売却や資産譲渡などによって全社的な事業ポートフォリオの再編や財務改善に貢献できる可能性もあります。

しかし、あくまでもそれらはすべてのプロジェクトが本プロセスの完遂と新規事業開発の成功を目指して尽力した結果として得られる大いなる副産物であり、最初から完遂しなくてもよい、成功しなくても仕方がない、という姿勢で挑んではその副産物を得ることすらままなりません。必ず成功させるという気概と姿勢で挑むプロジェクトを多産することで初めて、再現性高く新規事業開発を成功させることができる組織へと変貌を遂げられるのだと筆者は考えています。

第5・6章では、新規事業開発のプロセスについて網羅的ながら詳細に解説しました。次の最終章では、少子高齢化が進んだことで「課題先進国」といわれる日本で、多くの企業が新規事業開発に取り組み、その能力を向上させていくことで見えてくる未来について考察してみたいと思います。

第 7 章

先進的企業の「イノベーション・エコシステム」と「インキュベーションの民主化」が創る日本経済の未来

再現性の高い新規事業開発をいくつも生み出せる先進的企業へと生まれ変わるには何が必要なのか――。

本書はこれまで、全社的なビジョンやインキュベーション戦略の策定、IRMを前提にした組織や人材の活用・育成法、そして具体的な新規事業開発プロセスや方法論について述べてきました。不確実性が高く、短期的な成果が出にくい新規事業開発においても中長期的な目線で辛抱強く取り組み続けることが、企業の未来を創る上で極めて重要な意味を持ちます。そしてそれは、日本経済全体にとっても欠かすことのできない挑戦です。

その第一歩として、スタートアップのエコシステムとは違う形で、先進的企業は新規事業に継続的に取り組むため自社を中心とした「イノベーション・エコシステム（生態系）」を作り上げるべきであると筆者は考えます。

先進的企業の「イノベーション・エコシステム」とは

まず第3章～6章で解説したビジョンやインキュベーション戦略の策定と、その方針に基づいて再現性高く質の高い挑戦を量産し、新規事業開発を実行できる組織や人材を作るためのIRMや文化・風土の醸成によって強いプロジェクトやチームを作ることを目指します。そして不確実性を可能な限りコントロールしながら成功確率を高めるための新規事業開発プロセスを高いレベルで実行していくと、事業が成功すれば全社ビジョンや戦略に大きく貢献する中核事業を生み出すことにつながります。

仮に新規事業に失敗しても、そこで得た知見や経験を元にチームやイノベーター人材は成長し、さらに質を高めた再挑戦を繰り返すことができます。そして継続的に新規事業の創造と組織や人材の成長が促されるという健全なエコシステムが完成します。

図ってか図らずか、これまで中長期にわたり大きな課題を解決し続け、飛躍的な成長を続けてきた企業は、このようなエコシステムを実現し、必

図表 再現性の高い新規事業開発を行う先進的企業のエコシステム

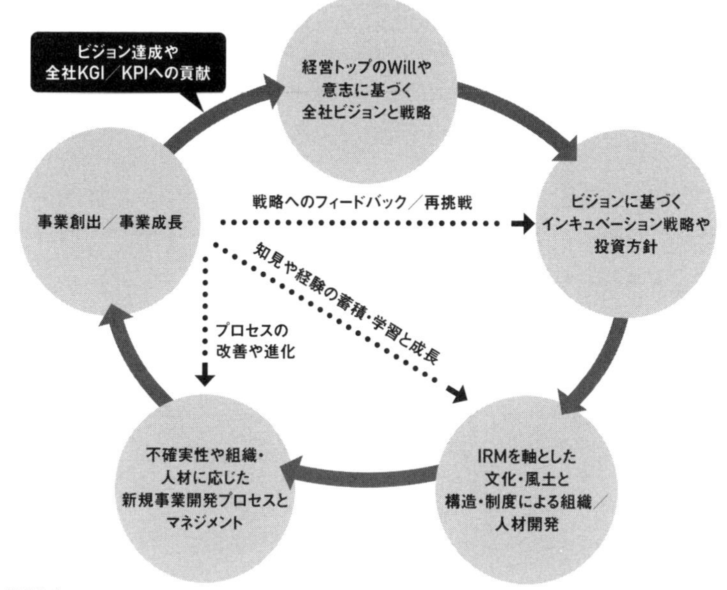

出典：筆者作成

ずといっていいほど新規事業開発に対して継続的に投資し、挑戦を重ねてきています。当然、そのすべてが成功したわけではありませんが、その中から成長を牽引する事業が生まれ、その過程で事業開発経験が豊富な人材を多く抱える強い組織を創ってきたからこそ、今があるのです。そしてこれは一朝一夕で実現できることではなく、どうしてもある程度の長期間にわたっての投資や実行を続ける経営トップの覚悟と裁量が必要になります。これは長期政権でないと実現が困難であるため、仮に短期で任期を終えて経営者が変わってしまう企業の場合は、そこから見直す必要があるかもしれません。

事業を創る“修羅場”を通じて、「事業を創る人」を創る

新規事業開発に本気で取り組んだチームや人材の知見や経験の蓄積は、企業全体の成長も強力に促します。挑戦した企業だけが、座学や研修ではなく、事業を創るという本物の修羅場での経験を血肉にして成長した、事業を創る人を創り、その人材を多く抱えることができます。

新規事業開発の経験を積んだ人材は、既存事業においても大きな成果を出す傾向にあるというデータもあるそうです。実際に筆者が数多くの企業の新規事業開発を支援する中で、新規事業を経験した人材がその後、既存事業の部署に異動になった際に、以前とは見違えるように成長して活躍しているという、うれしい報告をいただく例が後を絶ちません。

イノベーター人材が集まり、未来を志向する企業に進化

新規事業開発を進めることは、人材の採用にも有利に働きます。新規事業やイノベーションへの挑戦に前向きだと認知されない企業は今後、さまざまな面で「選ばれない会社」になる可能性が高いからです。旧態然とした風土・文化で、新しいことに挑戦できない企業には、優秀な人材が集まらなくなりつつあります。上場企業であれば、新規事業も含めた明確な成長戦略を打ち出せない企業は、投資家や株主から見放されることになるでしょう。

共感できる魅力的なビジョンや課題解決を設定し、それを実現するために中長期的に投資していく覚悟や資金があり、それを実行するための組織や人材を創り、挑戦者を全力で支援して活かすことができる——。そんな先進的企業には、イノベーター人材はもちろんのこと、資金をはじめとするあらゆる経営資源が集まりやすくなります。米国では、上場企業に対

して財務情報だけでなく、人的資源の開示を義務付ける動きがありますが、このような動きは今後日本も含めて世界中で見られるようになるでしょう。結果として、先進的企業は豊富な経営資源を強みとして有利に経営していくことができる時代になってきています。

仮に、新規事業開発をまったく経験したことのない人材がミドルからトップマネジメント層を占めている企業は、10年後、20年後はどうなっているでしょうか。これまでは既存事業で効率的に業績を伸ばすことに重きを置いて経営してきた企業も、これからの時代においては新規事業開発に注力しなければ生き残ることが困難です。にもかかわらず、現状の企業のマネジメント層には新規事業開発の未経験者が滞留している状況だと考えられます。新規事業開発を実行する側にも、マネジメントする側にも、新規事業開発の経験が重要であることはこれまで述べてきたとおりですが、残念ながら現実は理想から程遠いといえます。

そのような環境下で、ボトムアップで創り上げようとした新規事業は適切に評価・マネジメントされずに潰されやすく、トップダウンでの新規事業も自信を持って推進できないという状況に陥ってしまいます。そうした企業は遅かれ早かれ存在意義を失う運命にあると思います。

一方で、見事に先進的企業へと進化し、未来が楽しみな企業も確実に存在し、また増え始めています。社会において巨大な規模の産業や市場が存在するインフラや金融、製造業や、医療や製薬・ヘルスケア、不動産、小売業や飲食業などの領域でも、デジタル技術やテクノロジーによって大きな変革の余地やポテンシャルがあり、変革の旗手となる企業や先陣を切って変化を起こそうとする挑戦者が生まれています。まだ、希望は潰(つい)えていません。

社会課題が解決され、世界先進国のロールモデルとなる可能性を秘めた日本

一部の先進的企業のように継続的に新規事業開発に取り組み続ける中で組織や人材を創り上げていく「新規事業開発のエコシステム」が実装できれば、中長期的には社内に事業開発を経験して成長した人材が増え、いずれそのような人材がミドルマネジメントやトップマネジメントに数多く登用されていくことになるでしょう。そうなれば、その企業の組織や人材はますます強くなり、新規事業開発の成功確率を高めていくことになると筆者は確信しています。

一部のスタートアップやベンチャーだけがイノベーション創出に挑むのではなく、大企業や中堅・中小企業が「自社ならでは」のビジョンや戦略を描き、経営資源を活かした独自の新規事業開発に取り組み、さまざまな産業や業界で挑戦し、試行錯誤を繰り返す。そのような未来が訪れたら、日本はもっと国際的競争力の高い国になるのではないかと胸が躍ります。第1章でも触れたとおり、「課題先進国」と呼ばれるほどにさまざまな社会課題を抱える日本は、世界中の先進国に先駆けて社会課題を解決し、そのロールモデルとしての役割も果たすことができるかもしれません。

先進的な社会が抱える巨大で複雑な「壁」を乗り越えるための挑戦は、一部のスタートアップやベンチャー企業だけでは決してなし得ません。むしろ、これまでさまざまな産業や業界を支えてきた大企業や優良企業こそが主役となるべきではないでしょうか。

日本の企業には、世界に誇れる技術や伝統・文化、アイデアと発想、そして優秀な人材をはじめとする資源がいまだに多く残っています。しかし、そのほとんどはまだ眠ったままで、陽の目を見ず、世界に届けられていないのだと、筆者は日々の仕事を通じて常々感じていました。

これを変えるきっかけとなるのが、前述の「エコシステム」を実装した先進的企業を日本に数多く創出し、あらゆる企業や意志あるイノベーター

人材が新規事業に挑戦し続けることが当たり前になる状態、すなわち「インキュベーションの民主化」を実現することだと考えています。

本書が新規事業開発やイノベーション創出に挑戦する人、一歩を踏み出せない人、壁にぶつかっている人たちの背中を押し、課題解決や事業の成功、そして企業の成長の一助になれば望外の喜びです。そして、先進的企業の創出やインキュベーションの民主化が進むことで、リスクを取って挑戦する人が正しく評価され、報われる社会へと変わることを願ってやみません。

おわりに

このたびはお忙しい中、また数あるビジネス書や新規事業やイノベーション関連の書籍の中から本書を手に取り、そして最後までお読みいただきありがとうございます。

筆者がさまざまな新規事業開発の現場で日々痛感していた課題や、多くのクライアントやパートナー企業から受けるご相談、お悩みに向き合い、その解決に向けて試行錯誤してきた中で見えてきた暗黙知を、可能な限り形式知化して再現性のある新規事業開発を実現してもらいたい、という想いから本書の執筆に至りました。

新規事業開発に取り組むビジネスパーソンは、世の中ではまだまだ少数派だと思います。だからこそ、せめてこの分野の課題や壁にぶつかっている方々にとって少しでも参考になるコンテンツをお届けしたいと考えました。紙幅の都合、また情報量と読みやすさや理解のしやすさとのバランスなどもあるため、考慮を重ね、悩みに悩みながらようやく本書を世に出すところまでこぎ着けることができました。

本書の内容は決して筆者一人で創り上げたものではありません。筆者や弊社Relicを信頼し、期待をかけてくださり、さまざまな新規事業開発やイノベーション創出に向けた挑戦を共にしていただいてきたクライアントやパートナーの皆様。多大なるご指導やご支援をいただいている皆様。そして、新規事業開発の現場でRelicのビジョンを体現するために、インキュベーションを民主化し、大志ある挑戦者が正しく評価され、報われる社会を創るべく日々奮闘してくれている社員との関わりやつながりの中から自ずと生まれてきたものだと、今さらながら強く感じています。

ケース・バイ・ケースの特殊解が頻出する新規事業開発とはいえ、多くの企業を支援していると、共通してぶつかる壁や課題が存在します。これらを乗り越えることができれば、新規事業開発を着実に前へ進め、その成功確率を高めることができるという確信もありました。そのためにお伝えできることを小手先のテクニックやノウハウではなく、なるべく本質的に、再現性のある形に落とし込んだのが本書です。

新規事業開発に失敗はつきものですが、しなくてもよい失敗は事前に予防して回避すること、そして避けられない必要な失敗はなるべく早く、致命傷にならないようにして、そこから得た学びを活かすことが重要です。本書がその一助となる参考書として、また新規事業開発という勇敢なる挑戦の背中を押し、支える役割を果たすものとなれば、こんなにうれしいことはありません。

一方で、文中でも触れましたが、不確実性が高く、既存事業とは異なる知見や能力が必要になる新規事業開発では、どこまでいっても「習うより慣れろ」、すなわち実践・実戦を通じた修羅場を経験することでしか見えないものや得られないものが非常に多く存在します。だからこそ、「実戦に勝る教科書はない」ともいえます。本書も含め、新規事業やイノベーションに関する書籍は数多く、研究や論文などもさまざまなものがありますが、最終的には実際に自分たちで本気で取り組んでみることでしか、新規事業開発やイノベーション創出を実現し得る成長や成果は望めません。

新規事業開発やその支援に長く携わっていると、どんなに素晴らしい事業構想やアイデアがあったとしても、それを愚直に実行し、ビジョンを実現する事業リーダーと、リーダーを中心とした強い組織やチームが存在しなければ何の意味もないことを痛感します。同時に、今後の日本においては事業構想やアイデアそのものよりも、その実現を担う起業家人材・事業家人材、すなわちイノベーター人材の質や量のほうが、より深刻なボトルネックになるのではないかという強い危機感を覚えています。

筆者や弊社Relicは、創業からしばらくは「事業を創る事業」に邁進してきましたが、前述のような危機感から、「事業を創る人を創る事業」にも強い必要性や意義を感じており、近年は特に力を注いできました。その過程でさまざまな試行錯誤を繰り返す中で見えてきたのは、事業を創る人を創るには、裁量や権限を与えた上で実際に事業を創ってもらい、その責任を最後まで取ってもらうというプロセスを踏むこと、つまり「事業を創りながら、事業を創る人を創る」ことが最も手っ取り早く、そして成長や成果の面でも効果的であることです。どんな書籍や論文も、そして研究や分析も、本物の修羅場をくぐってきた経験には敵わないということです。

これは新規事業に限らず、すべてのことに通じる当然といえば当然のことですが、新規事業に関してはその不確実性の高さやキャリアとしての希少性ゆえに、多くの人にとって挑戦の機会が非常に限定的で稀有なものになってしまっている側面があります。

だからこそ、本書に記したようなエコシステムを実現する先進的企業が増加し、大志ある挑戦者が等しく事業開発や事業創造に携わることができる機会を創出し、その成長や成果を組織や会社全体として支援していくことで、インキュベーションという、これまで一部の人しか担うことができなかった領域を民主化したい、いえ、するべきだと考えています。

よく「Relic」という社名の意味や由来について、取引先の企業の方や採用面接などに応募してくれた方から質問されます。Relicは直訳すると「遺物」という意味ですが、これは筆者が思想家・文学者である内村鑑三の著書『後世への最大遺物』に感銘を受けた経緯からきています。この著書の中で「何人にも残し得る後世への最大遺物とは？」という問いに対して、内村はいくつかの例を出しながらも、最終的には「勇ましく高尚な生涯＝生き様」である、としています。企業やそこで働く人にとって、新規事業開発やイノベーション創出への挑戦は、まさに後世への最大遺物だと考えています。我々自身が後世への最大遺物を残すこと、そして誰もが後世への最大遺物を残すことができる世界を実現することを目指すという意志と覚悟を込めて、Relicと命名しました。

筆者やRelicとしても、今後もさまざまな挑戦を、支援する挑戦者以上に実行していきたいと思いますし、それを世の中にしっかり届けられるように発信を続けていきます。また、本書では描ききれなかった、より個別の事業内容やビジネスモデルに踏み込んだ、具体的かつ詳細な知見やノウハウ、方法論や考え方などについては、また別の機会に体系化してお伝えできればと思います。

最後に、弊社Relicのクライアントやパートナー企業の皆様、Relicのプロダクトやサービスをご利用いただいている皆様。DeNA在籍時、そしてRelicの創業時から多大なるご指導やご支援をいただいている株式会社ベータカタリスト代表取締役CEOの春田真さん、株式会社ベータカタリスト取締役COOの林光洋さん、株式会社パズルリング取締役CTOの原永宗一さん。かけがえのない出会いと素晴らしい成長の機会をいただいたDeNAの皆様。そんなDeNAに入社するきっかけをいただいた株式会社プロフェッショナルバンク常務取締役の高本尊通さん。社名の由来にもなる座右の銘と出会わせてくれた中学校時代からの友人で現在は医師の新名啓さん。イノベーション創出支援の分野で提携する中でさまざまな示唆や刺激をいただいているアスタミューゼ株式会社代表取締役社長の永井歩さん。本書の執筆や編集も含めてさまざまなご支援をいただいた、日経BP 日本経済新聞出版本部の石橋廣紀さん、Mikawa&Co.合同会社代表の三河主門さんと、山影誉子さん。文章を書くにあたり多くの示唆と学びをいただいた、友人の浅見和寿さんと、内田千景さん。感謝してもし切れない創業メンバー一同と、日々誠実に奮闘してくれているRelicの社員・メンバー。そして、私にRelicを創業する勇気をくれた、生き様という「後世への最大遺物」を残してくれた天国の父と、いつも私を支え、応援してくれている大切な家族に、この場を借りてお礼を申し上げたいと思います。今後とも、ご指導ご鞭撻のほどよろしくお願い申し上げます。

2021年8月　株式会社Relic 代表取締役CEO｜Founder

北嶋 貴朗

参考文献

内村鑑三(1946)『後世への最大遺物・デンマルク国の話』岩波書店

ジェームス・W・ヤング(1988)『アイデアのつくり方』CCCメディアハウス

クレイトン・クリステンセン(2001)『イノベーションのジレンマ 技術革新が巨大企業を滅ぼすとき 増補改訂版』翔泳社

エリック・リース(2012)『リーン・スタートアップ ムダのない起業プロセスでイノベーションを生みだす』日経BP

トニー・ダビラ、マーク・J・エプスタイン、ロバート・シェルトン(2007)『イノベーション・マネジメント 成功を持続させる組織の構築』英治出版

楠木建(2010)『ストーリーとしての競争戦略 優れた戦略の条件』東洋経済新報社

クレイトン・クリステンセン、ジェフリー・ダイアー、ハル・グレガーセン(2012)『イノベーションのDNA 破壊的イノベータの5つのスキル』翔泳社

ビジャイ・ゴビンダラジャン、クリス・トリンブル(2012)『イノベーションを実行する 挑戦的アイデアを実現するマネジメント』NTT出版

スティーブン・G・ブランク、ボブ・ドーフ(2012)『スタートアップ・マニュアル ベンチャー創業から大企業の新事業立ち上げまで』翔泳社

山口周(2013)『世界で最もイノベーティブな組織の作り方』光文社

マーク・スティックドーン、ヤコブ・シュナイダー(2013)『THIS IS SERVICE DESIGN THINKING. Basics - Tools - Cases 領域横断的アプローチによるビジネスモデルの設計』ビー・エヌ・エヌ新社

スコット・D・アンソニー(2014)『ザ・ファーストマイル イノベーションの不確実性をコントロールする』翔泳社

ピーター・ティール、ブレイク・マスターズ(2014)『ゼロ・トゥ・ワン 君はゼロから何を生み出せるか』NHK出版

石川明(2015)『はじめての社内起業「考え方・動き方・通し方」実践ノウハウ』ユーキャン

小川紘一(2015)『オープン&クローズ戦略 日本企業再興の条件 増補改訂版』翔泳社

佐宗邦威(2015)『21世紀のビジネスにデザイン思考が必要な理由』クロスメディア・パブリッシング

三宅孝之、島崎崇(2015)『3000億円の事業を生み出すビジネスプロデュース戦略 なぜ、御社の新規事業は大きくならないのか?』PHP研究所

サラス・サラスバシー(2015)『エフェクチュエーション 市場創造の実効理論』碩学舎

スティーブン・G・ブランク(2016)『アントレプレナーの教科書 シリコンバレー式イノベーション・プロセス 新装版』翔泳社

田中聡、中原淳(2018)『「事業を創る人」の大研究 人を育て、事業を創り、未来を築く』クロスメディア・パブリッシング

ハーバード・ビジネス・レビュー編集部(2018)『イノベーションの教科書 ハーバード・ビジネス・レビューイノベーション論文ベスト10』ダイヤモンド社

秋元雄史(2019)『アート思考 ビジネスと芸術で人々の幸福を高める方法』プレジデント社

参考文献

市谷聡啓(2019)『正しいものを正しくつくる プロダクトをつくるとはどういうことなのか、あるいはアジャイルのその先について』ビー・エヌ・エヌ新社

入山章栄(2019)『世界標準の経営理論』ダイヤモンド社

宇田川元一(2019)『他者と働く「わかりあえなさ」から始める組織論』ニューズピックス

橘川武郎(2019)『イノベーションの歴史 日本の革新的企業家群像』有斐閣

濱口秀司(2019)『SHIFT イノベーションの作法』ダイヤモンド社

チャールズ・A・オライリー、マイケル・L・タッシュマン(2019)『両利きの経営「二兎を追う」戦略が未来を切り拓く』東洋経済新報社

テンダイ・ヴィキ、ダン・トマ、エスター・ゴンス(2019)『イノベーションの攻略書 ビジネスモデルを創出する組織とスキルのつくり方』翔泳社

安宅和人(2020)『シン・ニホン AI×データ時代における日本の再生と人材育成』ニューズピックス

川口伸明(2020)『2060未来創造の白地図 人類史上最高にエキサイティングな冒険が始まる』技術評論社

冨山和彦(2020)『コーポレート・トランスフォーメーション 日本の会社をつくり変える』文藝春秋

リード・ホフマン、クリス・イェ(2020)『BLITZSCALING 苦難を乗り越え、圧倒的な成果を出す武器を共有しよう』日経BP

エイミー・C・エドモンドソン(2021)『恐れのない組織「心理的安全性」が学習・イノベーション・成長をもたらす』英治出版

イラッド・ギル(2021)『爆速成長マネジメント』日経BP

オープンイノベーション協議会(JOIC)、新エネルギー・産業技術総合開発機構(NEDO)(2016)「オープンイノベーション白書 初版」

篠田真貴子、定方美緒「[議論]イノベーターは誰だ? 『ポスト・イット』生んだ3Mに学ぶ」(日経ビジネス)
https://business.nikkei.com/atcl/forum/19/00036/100500006/

篠原匡「サイバーエージェントが経営人材を輩出するワケ」(日経ビジネス)
https://business.nikkei.com/atcl/gen/19/00106/012200001/

安倍俊廣「優秀な人がグーグルに入らない理由 DeNA元会長が指摘」(日経クロストレンド)
https://xtrend.nikkei.com/atcl/contents/18/00238/00012/

日本経済新聞社「スタートアップ評価の大企業、JR東とソニー 5位内に躍進、寄り添う姿勢に支持」(日本経済新聞電子版)
https://www.nikkei.com/article/DGXMZO63417250T00C20A9TJ2000/

日本経済新聞社「子会社ソラコム、成長し上場検討　第3の出口モデルに」(日本経済新聞電子版)
https://www.nikkei.com/article/DGXMZO63432590U0A900C2FFT000/

産経デジタル「お蔵入り企画生かして起業 パナ発ベンチャー 休職社員が商品化」(SankeiBiz)
https://www.sankeibiz.jp/business/news/201006/bsm2010060500003-n1.htm

森若幸次郎「イノベーション優等生、北欧5カ国のエコシステムはなぜ機能するのか?」(Forbes JAPAN)
https://forbesjapan.com/articles/detail/36647

Forbes JAPAN「イノベーター数日本一!　ソニーの完全復活を支える『新イノベーション戦略』」(Forbes JAPAN)
https://forbesjapan.com/articles/detail/31521

山田敏弘「『生産性』『人材』で世界に後れ　イノベーションランキングに見る、日本の深刻な位置付け」(ITmedia ビジネスオンライン)
https://www.itmedia.co.jp/business/articles/2101/07/news014.html

入山章栄「【1万字解説:入山章栄】大企業イノベーションの『10のキーワード』」(NewsPicks)
https://newspicks.com/news/1930685/body/

平岡乾「【入山章栄】日本企業よ、経営の原点に立ち返れ」(NewsPicks)
https://newspicks.com/news/5242944/body/

STARTUP DB編集部「平成最後の時価総額ランキング。日本と世界その差を生んだ30年とは?」(STARTUP DB)
https://media.startup-db.com/research/marketcap-global

Takeshi Hirano「KDDIが3年連続トップ、スタートアップと大企業の共創に貢献【ILS・イノベーティブ大企業ランキング】」(BRIDGE)
https://thebridge.jp/2020/09/ils-innovative-company-ranking-2020

荘加大祐「経営資源の全体像【「ヒト・モノ・カネ・情報」はもう古い】」(Logicadia)
https://logicadia.com/marketing/management-resources

Google「『効果的なチームとは何か』を知る」(Google re:Work)
https://rework.withgoogle.com/jp/guides/understanding-team-effectiveness/steps/introduction/

たなかこういち「ウォーターフォールとアジャイルのコスト構造はジレンマ状態にあるのではないか、という話、他」(たなかこういちの開発ノート)
https://tanakakoichi9230.hatenablog.com/entry/5216043722

北嶋 貴朗 （きたじま・たかあき）

株式会社Relic 代表取締役CEO | Founder

1986年、東京生まれ。父親の仕事の都合で全国を転々とする幼少期を過ごした後、埼玉県に定住。埼玉県立川越高等学校を経て、2008年に慶應義塾大学を卒業後、組織/人事系コンサルティングファーム、新規事業に特化した経営コンサルティングファームにて中小・ベンチャー企業から大企業まで幅広い企業の新規事業開発や組織変革を支援。その後2013年、ITメガベンチャーであるDeNAに入社。新規事業開発や事業戦略/事業企画の立案、大企業とのオープンイノベーションのマネジャーとして数々の事業の創出から成長までを担う責任者を歴任。2015年に株式会社Relicを創業し、現職。5年間で約2,500社・12,000の新規事業開発を支援するなど、業界トップクラスのシェアと実績を持つ企業への急成長を牽引する一方で、ITスタートアップ企業としても国内シェアNo.1のプロダクトを複数立ち上げる。企業の新規事業創出プログラムやアクセラレーションプログラム等でのアドバイザー・メンター・審査員としての活動や、有望なベンチャー・スタートアップ企業への出資・経営支援も行うなど多方面で活動。

イノベーションの再現性を高める 新規事業開発マネジメント

不確実性をコントロールする戦略・組織・実行

2021年 9月 1日　第1版第1刷発行
2024年10月 7日　　　第11刷発行

著　者　北嶋 貴朗
©Takaaki Kitajima, 2021

発行者　中川 ヒロミ

発　行　株式会社日経BP
日本経済新聞出版

発　売　株式会社日経BPマーケティング
〒105-8308　東京都港区虎ノ門4-3-12

装丁・レイアウト　中川 英祐（トリプルライン）

DTP　トリプルライン

印刷・製本　三松堂

ISBN 978-4-532-32368-4

本書に関するお問い合わせ、ご連絡は下記にて承ります。
https://nkbp.jp/booksQA

Printed in Japan